J'APPRENDS À NAGER

Régent La Coursière

J'APPRENDS À NAGER

LES ÉDITIONS DE L'HOMME *

CANADA: 955, rue Amherst, Montréal H2L 3K4

*Division de Sogides Ltée

- Maquette de la couverture:
  JACQUES DES ROSIERS

- Maquette et mise en pages:
  LÉO CÔTÉ

- Photo de la couverture:
  PAUL GÉLINAS

- Illustration:
  CÔTÉ

DISTRIBUTEURS EXCLUSIFS:

- Pour le Canada:
  AGENCE DE DISTRIBUTION POPULAIRE INC.*
  955, rue Amherst, Montréal H2L 3K4 (tél.: 514-523-1182)
  *Filiale de Sogides Ltée

- Pour la France et l'Afrique:
  INTER-FORUM
  13, rue de la Glacière, 75013 Paris (tél.: 570-1180)

- Pour la Belgique, la Suisse, le Portugal, les pays de l'Est:
  S.A. VANDER
  Avenue des Volontaires 321, 1150 Bruxelles (tél.: 02-762-0662)

Sommaire

Mon fils Régent junior et moi.

Préface

L'eau nous attire mais en même temps nous fait peur. Au cours des siècles, l'homme a appris à contrôler cet élément. Il a appris à jouir de l'eau sans la craindre, non pas en niant le danger, mais en sachant le contrôler.

Pour la plupart des gens, apprendre à nager consiste surtout à apprendre à surmonter la peur. Parfois cette victoire sur la peur s'avère une première victoire fort importante. Ce sentiment, qui les paralysait en de nombreuses situations, ils ont appris qu'on pouvait le contrôler et, par le fait même, ils ont acquis une confiance en eux qu'ils n'avaient jamais eue. Cette confiance, ils la transposent dans leur vie entière.

Pour les enfants, l'eau représente un danger certain. On peut réagir en les mettant en garde contre ce danger, parfois en l'exagérant pour être plus certain qu'ils s'en tiendront éloignés. Mais on peut aussi prendre une attitude positive en leur apprenant comment faire pour éviter que l'eau ne devienne pour eux un danger.

Quand doit-on leur apprendre à nager? Aussitôt qu'ils peuvent se déplacer suffisamment pour atteindre par eux-mêmes une surface d'eau. S'ils possèdent assez de coordination pour marcher ou même se traîner jusqu'à l'eau, ils ont assez de coordination pour apprendre à flotter et à se déplacer sur l'eau. Et à cette époque, l'enfant n'a pas peur de l'eau; il ignore ce qu'est la peur au sens où nous l'entendons. Il peut cependant ressentir une certaine anxiété en face d'une situation nouvelle; si, autour de lui, il retrouve des gens calmes et rassurants, cette anxiété sera habituellement de courte durée, surtout s'il est déjà habitué à une vie paisible. Malheureusement, il arrive parfois que, à cause de l'anxié-

té régnant dans son milieu, l'enfant soit déjà très anxieux lui aussi, de sorte que l'anxiété amenée par cette nouvelle situation sera trop grande pour que l'enfant puisse y faire face. Dans ce cas, il faudra remettre à plus tard les cours de natation.

RÉJEAN GAUTHIER, M.D.
Psychiatre.

Avant-propos

J'ai voué ma vie à la natation, d'abord comme nageur amateur, puis comme nageur de longs parcours, et enfin comme professeur et entraîneur de natation. J'ai donc passé trente-trois de mes trente-huit ans à apprendre à nager, à m'entraîner ou à concourir; ce qui représente des milliers d'heures dans l'eau. Si je pouvais additionner tous les milles que j'ai nagés dans ma vie, je suis persuadé que le total correspondrait au tour du monde.

Parmi les avantages que m'a procurés ma carrière, le plus grand est certes d'avoir pu voyager à l'occasion de compétitions internationales et, ainsi, d'avoir eu la chance d'étudier à travers le monde différentes méthodes d'enseigner la natation.

Aujourd'hui, à mon école de natation, je mets mon expérience en pratique. J'ai enseigné à des gens de tout âge, de bébés de trois semaines jusqu'à des adultes de près de quatre-vingts ans. Il n'y a pas de limite d'âge, et mon programme est conçu pour compléter l'adaptation aquatique et enseigner les joies de la natation aux plus jeunes comme aux plus vieux.

Ce livre devrait servir de manuel de référence pour l'enseignement des bases de la natation et de la sécurité aquatique.

Le Temple international de la renommée de natation, à Fort Lauderdale, nous informe que, dans le monde, on déplore tous les ans 700,000 morts par noyade. On trouve aujourd'hui au Canada plus de 800,000 piscines familiales. A ce chiffre, on peut ajouter les milliers de piscines municipales, de maisons d'appartements et de motels.

Puisque maintenant nous enseignons beaucoup plus précocement la natation à nos jeunes, je puis espérer qu'un jour tous les humains auront la chance d'apprendre à nager et d'y trouver une source de joie.

Patrick, un bébé « à l'épreuve de l'eau ».

Introduction

COMMENT LA NATATION PEUT-ELLE VOUS AIDER?

La natation est un des rares sports que l'on peut pratiquer en toute sécurité jusqu'à un âge avancé. Vivant dans la société la plus ankylosée de toute l'histoire de l'humanité, nous avons besoin d'acquérir une bonne forme physique. Mes rapports avec le public m'ont permis de comprendre que nous devons affronter un sérieux problème qu'il nous plaise ou non de l'admettre. L'homme moyen d'aujourd'hui est probablement l'animal le moins en forme de la création.

Nous sommes une société fière. Intellectuellement, nous avons dépassé les rêves les plus fous. Nous sommes à l'ère des voyages dans l'espace; nous avons pu voir l'homme marcher sur la lune. Pourtant, si nous comparions l'homme de notre société intelligente contemporaine à l'homme des cavernes, il nous faudrait admettre l'énorme supériorité physique de ce dernier. Ses efforts quotidiens pour survivre et trouver à manger procuraient à l'homme des cavernes suffisamment d'exercice.

Notre médiocre condition physique provient surtout de l'automation. Il y a plus de cent ans, au cours de la première révolution industrielle, au moins 90% du travail s'effectuait en utilisant la force musculaire des bras, du dos et des jambes. Aujourd'hui, la seconde révolution industrielle a confié 90% du travail aux machines.

Nous n'utilisons plus nos muscles, et c'est pourquoi notre civilisation produit des êtres physiquement diminués. Si vous ne me croyez pas, jetons un coup d'œil du côté de nos jeunes. Plus de 50% de nos jeunes se révèlent incapables de réussir l'examen d'aptitude physique de leur école, bien que les institutions leur offrent, à partir de cinq ans, diverses formes d'exercices, de gymnastique et de sports d'équipe. Malheureusement, il faut se rendre à l'évidence que nos écoles se préoccupent bien plus de faire de nos enfants des géants mentaux que des athlètes.

Je crois que si nous pouvions enseigner les sports aux enfants, dès leurs premières semaines et jusqu'à l'âge scolaire, le programme d'éducation physique des écoles suffirait peut-être à maintenir le niveau de la santé physique. Mais on a prévu très peu d'activités athlétiques pour les enfants d'âge pré-scolaire. Et pour empirer les choses, il faut que nos enfants dépendent de parents surprotecteurs.

La plupart de nos jeunes sont des êtres en santé, suralimentés de bonne nourriture, bourrés de vitamines et d'énergie à dépenser même à la fin de la journée.

50% de mes élèves ayant moins de cinq ans, je puis étudier leurs habitudes ... ainsi que celles de leurs parents. Je connais des parents qui portent leur enfant de trois ans dans leurs bras pour monter ou descendre les escaliers, lorsqu'ils arrivent à mon école ou s'en retournent. D'autres se penchent pour sortir leur enfant de cinq ans de ma piscine, le croyant sans doute incapable de le faire tout seul. Dans les centres d'achats, je vois des parents pousser des enfants de quatre et cinq ans dans des carosses, sous prétexte qu'ils seraient trop fatigués pour marcher. Dans le métro et dans les autobus, je vois des parents faire asseoir leurs enfants et rester debout. Je pourrais citer des quantités d'exemples qui démontreraient à quel point nous nuisons à leur forme physique en les cajolant plus qu'il ne faut.

Autant la plupart des parents surprotègent leurs enfants, autant ils donnent dans l'autre extrême et se négligent eux-mêmes. Quand les forces armées des Etats-Unis recrutèrent des hommes au cours de la Seconde Guerre mondiale, les gouvernements furent stupéfaits de constater que presque 30% des jeunes hommes avaient été refusés pour cause d'inaptitude physique. Même si à cette époque on avait déjà beaucoup parlé d'améliorer la forme physique de la jeunesse, je me suis laissé dire que 40% des jeunes hommes d'aujourd'hui ne pourraient réussir l'examen d'aptitude physique de l'armée.

A mon avis, le problème de nos adultes se révèle aussi grave que celui de nos jeunes. Pour la plupart, ce problème prend naissance le jour où ils quittent l'école et où prennent fin les séances obligatoires de gymnastique. Pour plusieurs, ce jour marque la fin de tout exercice physique. Je reste toujours étonné de voir combien de nos jeunes adultes n'arrivent pas à supporter les huit minutes d'exercices de réchauffement que je donne avant chaque cours de natation. Ils ne peuvent toucher leurs orteils sans plier les genoux; ils ne peuvent lever les genoux pour courir sur place.

La plupart des jeunes mères s'imaginent prendre assez d'exercice en faisant le ménage et en s'occupant de leur famille. Pas du tout! Si je leur demandais de courir autour du pâté de maisons, elles ne pourraient pas le faire sans s'arrêter.

Quant au jeune homme, il doit faire face à un problème quelque peu différent. L'orgueil du mâle en retient plusieurs. Un grand nombre rougirait d'avouer avoir peur de l'eau ou ne pas savoir nager. Bien des hommes occupent deux emplois et n'ont tout simplement pas le temps.

Puis arrive la quarantaine. Leurs muscles se sont ramollis, ils ont pris du poids. Leurs enfants ont grandi et maintenant ces parents cherchent quelque chose à faire, voulant aussi retrouver un peu de leur jeunesse et vivre sainement les années qui leur restent. A ce moment, la plupart des adultes s'orientent vers quelque activité physique. A cet âge, la natation constitue un sport attrayant. S'ils ont nagé dans leur jeunesse, ils s'inscriront avec enthousiasme à un cours de natation, dans l'espoir de reprendre là où ils avaient arrêté plusieurs années auparavant. Mais s'ils n'ont jamais nagé, leur inscription à un cours de natation leur pose un sérieux problème. Leur crainte et leur attitude négative envers la natation ont grandi en eux avec les années. A ces adultes, je dis: Bravo!

Le secret d'une vieillesse pleine de santé a toujours été l'exercice. Ces dernières années, les spécialistes du cœur nous ont incités à ajouter à nos efforts quotidiens trente minutes d'exercice physique; mais pour que cela s'avère efficace dans notre vieillesse, il nous faut d'abord acquérir un système cardiovasculaire sain dans un corps solide, en augmentant la force et la vitalité de nos muscles. Vu que plusieurs médecins recommandent la natation comme exercice complet, et parce qu'elle constitue mon sport de prédilection, je suggère naturellement à chacun, quel que soit son âge de pratiquer la natation. La natation représente pour moi un des grands plaisirs de la vie, que l'on peut apprécier toute sa sa vie durant. Tous peuvent apprendre à nager. Certains apprennent vite et deviennent d'excellents nageurs; d'autres apprennent à nager suffisamment pour en profiter en tant que sport et exercice essentiel.

L'AVENIR DE LA NATATION

A mes yeux, l'avenir de la natation semble des plus prometteurs. Nous n'avons pas encore réalisé le grand rêve des philosophes grecs, ce système d'éducation qui procurerait aux enfants la forme physique et, à la fois, la réussite scolaire. Aujourd'hui, dans plusieurs parties du monde, l'instruction de la natation est obligatoire pour les enfants d'âge scolaire, et je souhaite qu'avant l'an 2000 tous les enfants du monde puissent bénéficier de cours de natation intégrés à leur programme scolaire.

La natation est devenue le sport de détente familial par excellence. En été, le beau temps pousse tout le monde vers l'océan, les lacs, les terrains de camping et les piscine familiales. C'est le seul sport dont peuvent jouir tous les membres de la famille, des plus jeunes aux plus vieux. On recommande plus que jamais la natation comme mesure physiothérapeutique dans le traitement de plusieurs maladies, comme la polio, l'arthrite, le rhumatisme, les maladies de la colonne vertébrale, les varices, la dépression nerveuse, la paralysie cérébrale et bien d'autres.

De nos jours, tous devraient prendre conscience de la pollution des eaux. Elément vital, l'eau constitue l'une des substances les plus abondantes de la terre.

La survie de l'homme dépend étroitement de ses réserves d'eau fraîche; il en a besoin non seulement pour boire, mais aussi pour faire croître sa nourriture. Notre civilisation en est venue à considérer l'abondance d'eau comme allant de soi. L'homme est responsable de la pollution des eaux. Les principaux dégâts proviennent des égoûts domestiques et des déchets industriels. La saturation de nos eaux en phosphate et en produits chimiques toxiques constitue une grave forme de pollution. Les algues recouvrent actuellement plusieurs étendues d'eau d'une pellicule verte et visqueuse, souillant les plages, les lieux de baignade et les réserves d'eau.

Les recherches sur la pollution aquatique doivent se poursuivre. Nous n'enrayerons jamais complètement la pollution, mais nous pouvons et devons la contrôler.

L'épuration des eaux coûtera des sommes astronomiques. Le ministère de l'Energie, des Mines et des Ressources naturelles, à Ottawa, estime qu'il faudra consacrer un budget de cinq milliards de dollars, d'ici dix ans, pour commencer à enrayer la pollution.

La plupart des Canadiens recherchent de l'eau pure pour pratiquer leur sport aquatique favori. Malheureusement, la pollution a gagné nos lacs, nos rivières et les océans. Cette situation déplorable a suscité le besoin de piscines et de lacs artificiels destinés à des fins récréatives. Le lac Ontario est un des plus grands lacs du monde, et Toronto, la ville la plus populeuse du Canada, se dresse sur ses rives. Ce lac est déjà si pollué qu'on ne peut absolument pas se permettre le moindre contact avec ses eaux. On aménage actuellement cinq énormes réservoirs ou lacs artificiels à différents points de Toronto, principalement pour subvenir aux besoins récréatifs des résidents.

Ici, au Québec, la situation n'est guère plus brillante. Le majestueux Saint-Laurent qui baigne l'île de Montréal est, lui aussi, extrêmement pollué. Dans les premiers temps de ma carrière de nageur de long parcours, j'avais l'habitude de m'entraîner, durant les mois d'été, au Club de Natation de Montréal situé à l'île Sainte-Hélène, emplacement actuel de La Ronde. En septembre 1958, j'ai nagé en 15 heures de Montréal à Sorel. Quelques jours plus tard, j'entrais d'urgence à un hôpital de Montréal. Je souffrais de fièvre typhoïde.

Aujourd'hui, d'après le pourcentage de participation, la natation vient en deuxième place, après la conduite automobile, comme loisir préféré de la population. Avant l'an 2000, la natation se sera hissée au premier rang de popularité. Au Canada, la pratique de la natation ne s'étend guère, pour la plupart des gens, que sur une période de trois mois; mais, maintenant plus que jamais, la population exige de pouvoir nager toute l'année. Si nous fréquentons les piscines l'été, on peut difficilement nous en refuser l'accès l'hiver. Si l'on peut permettre et justifier les frais pour la construction d'une piscine qui servira trois mois durant l'été, il va de soi qu'une augmentation de 300% dans l'utilisation justifie les dépenses encourues pour une piscine intérieure servant toute l'année.

LA NATATION DANS NOS ÉCOLES

L'intérêt du public pour la natation et les cours de natation atteint actuellement son plus haut degré au Canada. La natation de compétition et les activités olympiques qui préludent à la tenue des Jeux olympiques à Montréal, en 1976, apparaissent comme les facteurs déterminants de cet intérêt croissant pour la natation. Le Canada accuse un retard de plusieurs années sur son voisin du sud, les Etats-Unis, quant à l'intégration de ce sport dans l'éducation régulière des enfants. En Angleterre et au Japon, les écoles dispensent ce genre d'éducation depuis plus d'un siècle.

Le ministre de l'Education du Québec a approuvé, cette année, la construction d'une piscine de 25 mètres dans chaque école qu'on érigera à l'avenir; de même, il a été décidé que l'on construirait, avant 1974, des piscines de 25 mètres dans toutes les écoles supérieures existantes. Cette initiative, bien qu'excellente, appelle certaines restrictions. D'après les renseignements que j'ai pu obtenir, on semble destiner ces piscines à la natation récréative et à la formation des étudiants des écoles supérieures ou primaires. J'aimerais voir ces mêmes piscines utilisées pour développer la natation, de l'école maternelle aux études secondaires, et prévues pour faire partie intégrante du programme d'éducation physique. A titre d'exemple, vous trouverez ci-dessous les cours de natation que l'on pourrait donner selon les différents milieux scolaires.

Ecole maternelle: cours de débutant, adaptation au milieu aquatique.

Première année: cours de débutant avancé, nage du chien.

Deuxième année: nage sur le dos.

Troisième année: style libre, entraînement de base pour la compétition.

Quatrième année: brasse et style papillon, entraînement de compétition.

Cinquième année: nages de sauvetage (notions élémentaires de nage sur le dos et de nage de côté), entraînement de compétition, compétition et théorie.

Sixième année: perfectionnement de toutes les nages, théorie et entraînement de compétition.

Etudes secondaires: l'enseignement de la natation peut alors se poursuivre par des cours de sauvetage pour les catégories Junior, et par des cours de moniteur pour les catégories Senior.

On pourrait réaliser d'intéressantes expériences en demandant aux élèves les plus vieux d'aider à former les plus jeunes, sous le contrôle de moniteurs qualifiés — un excellent moyen pour utiliser au maximum le précieux temps où la piscine est disponible. C'est un des problèmes majeurs des différents cours de moniteur donnés actuellement, que le candidat de dix-sept ans, bien qu'ayant réussi son cours, n'a jamais connu la responsabilité d'enseigner à ceux qui ne savent pas nager. Il a reçu son diplôme de moniteur pour son aptitude à nager et à effectuer des sauvetages, et après avoir subi un examen théorique sur les nages et le sauvetage. Mais il n'a pas appris à faire face à une classe de jeunes enfants de cinq ans, à captiver leur attention, à venir à bout de leurs craintes et de leurs colères, à vaincre leur attitude négative, à leur inspirer confiance, etc. A mon avis, les moniteurs devraient apprendre les facteurs psychologiques de l'enseignement de la natation avant d'obtenir leur diplôme. Et la seule manière d'obliger les moniteurs en puissance à acquérir cette expérience est de les laisser enseigner un certain nombre d'heures à tous les groupes d'âges, durant la période où ils se préparent à passer leur diplôme.

Voici quelques exemples qui vous aideront à mieux comprendre ce que je veux dire: avant d'obtenir son brevet de pilote, l'étudiant doit accumuler un certain nombre d'heures de vol; un étudiant en médecine doit faire plusieurs années d'internat; une étudiante infirmière doit travailler plusieurs mois dans un hôpital avant d'être reconnue comme infirmière diplômée, etc.

Adaptation aquatique pour bébés

Les enfants sont notre plus grande richesse. Nous mettons en eux nos espoirs pour l'avenir: demain, ils occuperont les postes de commande et devront résoudre les problèmes d'adultes dont ils auront hérité, comme la guerre, la pauvreté et la pollution.

Les spécialistes affirment que l'homme acquiert 80% de tout son savoir avant l'âge de six ans. Cela m'incite à croire plus que jamais que les enfants devraient apprendre à nager avant d'aller à l'école.

Personnellement, j'estime qu'un bébé de six mois offre toute l'aptitude physique et la vivacité d'esprit requises pour commencer à apprendre à nager. Peut-être jugez-vous cet âge trop précoce, mais j'ai bien des raisons valables de croire qu'il faut commencer aussi tôt. A l'âge de six mois, les principales causes de leurs maux physiques — coliques, pleurs, irritabilité — sont disparues. Un bébé de six mois dort et mange régulièrement; il se révèle assez fort pour tirer profit, physiquement, de l'exercice que lui procure la natation. Il acceptera les étrangers avec une totale indifférence, et jamais je n'éprouve de difficulté à lui faire comprendre que je suis son ami. Il supportera sans peine ma fermeté et s'exécutera sans résister, même s'il n'a pas bénéficié, à la maison, d'un entraînement préparatoire dans sa baignoire. L'enfant d'un an manifeste une forte méfiance envers les étrangers. Déjà, à cet âge, il a pu développer une attitude négative à l'égard de ce qui lui déplaît. Pour qu'il m'accepte et vienne de bon gré à ses cours de natation, ses parents devront déployer toute leur persuasion et manœuvrer avec tact. Par exemple, il n'aime pas qu'on lui lave les cheveux, il préférerait s'asseoir dans la baignoire plutôt que de s'y étendre, etc.

Mon fils, Régent, démontrant qu'à six mois un bébé peut passer avec succès l'épreuve de « Survie ».

Tous les bébés qui peuvent flotter sans aide pendant cinq minutes reçoivent l'écusson « Survie ».

Mon cours a pour but premier d'enseigner au bébé à survivre — à sauver sa vie — en maîtrisant aussi habilement que possible l'art de flotter sur le dos. Si je puis commencer à lui enseigner cette technique à six mois, j'aurai complété son adaptation aquatique vers l'âge de huit ou neuf mois. A neuf mois, un bébé se déplace considérablement par ses propres moyens. Plusieurs marchent déjà. Ils adorent jouer et barboter dans l'eau; c'est pourquoi on ne peut les laisser sans surveillance, ne serait-ce qu'une minute, à proximité de l'eau sans qu'ils ne mettent leur vie en péril.

Récemment, aux Etats-Unis, une fillette de onze mois s'est noyée en glissant tête première dans le bol de toilette où, apparemment, elle jouait dans l'eau. L'enfant s'avérant incapable de se tirer seule de cette mauvaise posture, les quelques pouces d'eau que contenait la cuvette ont suffi à la noyer. Je ne cite pas ce triste exemple pour faire croire que l'accident ne serait pas arrivé si elle avait suivi des cours. Ce que je veux dire, c'est que même les jeunes bébés peuvent apprendre et comprendre les dangers de l'eau; et je n'éprouve aucune difficulté à le leur inculquer durant les cours de natation. Il me vient à l'esprit un autre malheureux incident de ce genre: un garçonnet de treize mois s'est noyé dans la baignoire, où sa mère laissait tremper du linge à laver. Dans ses efforts pour se dégager, il s'embarrassa dans le linge et, quand on se porta enfin à son secours, il était déjà trop tard et l'on ne parvint pas à le ranimer. Un bébé qui tombe ou est poussé dans l'eau restera naturellement sur le ventre. Un instinct inné le fera garder les yeux ouverts et retenir son souffle pendant quelques secondes. Dans cette situation difficile, un bébé agitera frénétiquement les bras et gigotera vigoureusement, comme pour essayer de sortir de l'eau. Mais il ne peut même pas contrôler suffisamment son équilibre pour garder la tête hors de l'eau.

Ma tâche consiste à apprendre à ce bébé qu'une telle position est dangereuse. Je dois lui apprendre à maîtriser ses muscles et ses réflexes en se tournant lui-même, sans aide, de la position ventrale à la position dorsale. Les bébés sont intelligents, et ils

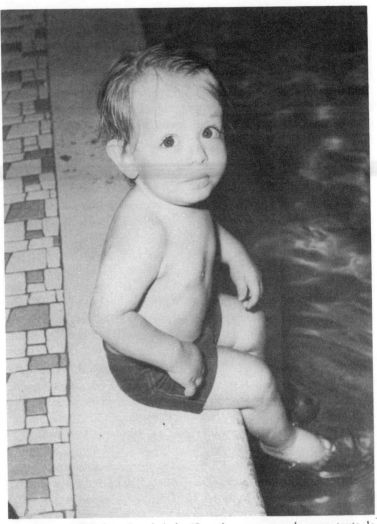

Patrick, un bébé champion âgé de 13 mois, nous regarde avec toute la confiance du monde.

apprennent rapidement qu'en se tournant sur le dos ils peuvent respirer librement, voir clairement et appeler jusqu'à ce qu'on vienne les secourir.

Patrick est déjà complètement adapté au milieu aquatique. Il est prêt pour cette étape importante où je le pousse à l'eau.

Patrick touche l'eau en position ventrale. C'est la position de tous les bébés qui tombent à l'eau.

Ici, Patrick se débat vigoureusement et s'efforce de se tourner sur le dos. Ses yeux sont ouverts et il retient sa respiration pendant qu'il a le visage dans l'eau.

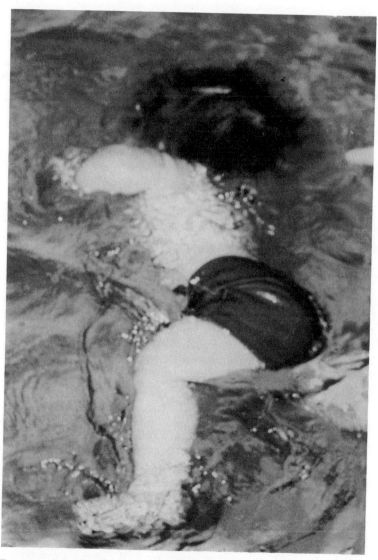

En se servant de ses jambes et de ses bras, Patrick a appris à se tourner sur le dos, seul et sans aide. Toujours en contrôlant sa respiration, Patrick n'avalera pas d'eau.

Quelques secondes plus tard, Patrick se trouve sur le dos; la bouche et le nez hors de l'eau, il peut respirer normalement. Il continue à exécuter un battement sous la surface de l'eau, jusqu'au moment où il peut recouvrer son équilibre.

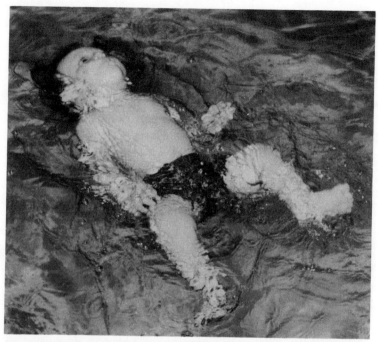

Complètement couché sur le dos et ses jambes flottant maintenant à la surface de l'eau, Patrick se trouve en position dorsale. Ce jour-là, il a flotté pendant vingt minutes. Il va sans dire que si jamais Patrick tombe dans une piscine, il pourra se débrouiller seul jusqu'au moment où l'on se portera à son aide.

Apprendre à nager aux bébés constitue la plus grande révolution dans le monde du sport actuel. Aujourd'hui, notre mode de vie nous amène à consacrer beaucoup de temps, en famille, aux activités aquatiques. Un après-midi dans la piscine peut apporter autant d'agrément à un enfant d'un an qu'à un autre de dix ans. Le chapitre suivant s'adresse aux parents qui voudraient savoir comment préparer leur enfants à profiter toute leur vie durant des joies de la natation.

FAITES-EN D'ABORD UN CHAMPION
DE BAIGNOIRE

Le bain dans une petite baignoire portative

Le bain du bébé est aussi important que sa nourriture. Votre bébé est prêt pour son premier bain dès que son nombril a fini de sécher — il tombe habituellement vers l'âge de trois semaines. On procurera alors au nouveau-né les délices de quelques minutes d'ébats dans l'eau. Souvenez-vous qu'avant sa naissance, il vivait dans l'eau. Leau lui est donc un élément familier.

Arrangez-vous pour baigner votre bébé à un moment de la journée où vous pouvez consacrer au moins quarante-cinq minutes à le déshabiller, à jouer, à le laver et à l'habiller. Le jeune bébé préférant dormir après avoir mangé, vous trouverez probablement plus pratique, au cours des premières semaines, de le baigner le matin, avant son repas. S'il se montre trop agité avant son bain parce qu'il a faim, apaisez-le au moyen de quelques onces de jus d'orange.

L'emploi d'une baignoire portative facilite grandement le bain du jeune bébé. Placez la baignoire sur l'armoire de cuisine, si possible tout près de l'évier. Vous pourrez ainsi remplir plus facilement la baignoire, directement au robinet. De même, l'armoire étant plus haute que la table, vous pourrez procéder plus confortablement, sans devoir vous plier. La pièce doit être chaude, et la température de l'eau ne doit pas dépasser 100 degrés Farenheit [38 degrés Centigrades]. La baignoire doit contenir au moins 6 pouces [14 cm] d'eau. Vous n'avez besoin que d'une débarbouillette, d'un savon doux, et d'une grande serviette chaude. Ne mettez pas le savon dans l'eau avant d'être prêt à l'utiliser.

La tête du bébé tombera vers l'avant si vous tentez de l'asseoir ou de le mettre sur le ventre; c'est pourquoi vous soutiendrez sa tête hors de l'eau, sur votre poignet, vos doigts le supportant sous les aisselles. Vous gardez ainsi votre autre main libre pour jouer avec votre bébé et pour le laver.

Je montre aux mamans comment placer un jeune bébé dans la baignoire. Une main soutient continuellement la tête de l'enfant. Vanessa fait l'expérience de son premier bain. Elle a trois semaines et pèse déjà 9½ lb.

Tout en soutenant la tête du bébé hors de l'eau, submergez doucement le reste de son corps. Si votre bébé est calme, vous remarquerez avec quelle facilité son corps peut flotter dans aussi peu que six pouces [14 cm] d'eau. Si votre bébé paraît tendu ou effrayé, ce n'est pas parce qu'il a peur de l'eau. Son malaise peut provenir d'une eau trop chaude ou trop froide, de coliques ou

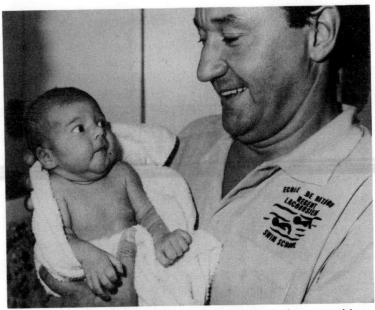

Vanessa, complètement réveillée et apparemment ravie de son expérience dans la baignoire.

même de la fatigue. Les jeunes bébés ont des gestes vifs et, dans l'eau, leur corps est glissant; assurez-vous donc que vous le tenez fermement. Il importe que vous vous montriez détendu et confiant, car même un jeune bébé détectera sûrement votre nervosité et votre manque d'assurance.

Je m'étonne devant le nombre de mères qui me disent baigner leurs bébés en les étendant sur une serviette et en les lavant à la débarbouillette, parce qu'elles craignent de les mettre dans l'eau et de ne pas arriver à les manipuler.

Une fois le bébé dans la baignoire, soutenez-lui la tête et laissez-le gigoter et barboter à son aise. S'il reçoit de l'eau dans le visage, ne l'essuyez pas. Il peut cracher et avoir l'air de suffoquer, mais ses réflexes naturels l'empêcheront d'avaler de l'eau. De toute façon, l'eau de la baignoire ne possédant pas une saveur

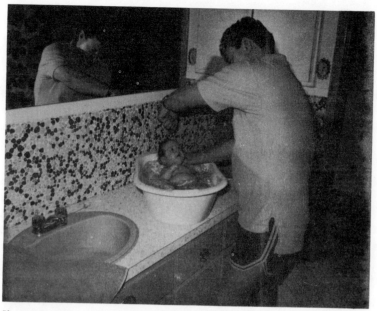

Il est nécessaire que les jeunes bébés s'habituent à avoir de l'eau dans les yeux et le visage. Ici, je laisse tomber quelques gouttes sur le front d'Isabelle (6 semaines) sans que cela la dérange le moins du monde.

particulièrement agréable, il évitera d'ouvrir sa bouche et d'en avaler. Les mères n'ont qu'à se souvenir de ces premières semaines où il fallait suer sang et eau pour lui faire absorber quelques gouttes de vitamines, ou des médicaments lorsqu'il était malade. Il est bon qu'elles se rappellent aussi qu'il n'a jamais bu d'eau que sucrée ou mélangée à du jus.

Souriez-lui avec assurance et parlez-lui doucement en l'incitant à battre des jambes. A l'occasion, sortez de l'eau votre main libre et passez-la légèrement sur son visage. Il ne tardera pas à avoir le visage entièrement mouillé, et bientôt même l'eau dans les yeux ne l'importunera plus. Cependant, ne mouillez pas son visage avec un linge: cela ne servirait qu'à l'effrayer inutilement.

Durant ces premières semaines, les séances de baignade ne devraient pas s'étendre sur plus de quelques minutes. Le bain quotidien fatigue le jeune bébé, et c'est d'ailleurs pourquoi il dort si bien après.

Depuis sa naissance, votre bébé se voit assujetti à un genre d'horaire qui détermine quand il doit manger, dormir, jouer, etc. Faites en sorte que son bain quotidien précède un repas, et votre nouveau-né en arrivera à considérer le bain comme un élément normal de sa journée.

Les jeunes bébés dorment au moins vingt heures par jour; c'est dire que sa plus longue période de réveil vient avant, pendant et après son bain. La jeune mère devrait absolument faire en sorte que son mari se charge du bain du bébé chaque fois qu'il le peut. Cela procure au père et au bébé une excellente occasion de passer ensemble d'agréables moments.

Le bain dans la baignoire familiale

Quand votre bébé a entre trois et quatre mois, c'est le moment rêvé de lui faire essayer la baignoire familiale. Il est absurde de vouloir installer en toute sécurité un jeune bébé dans la grande baignoire tout en restant vous-même à genoux sur le plancher. Ce procédé se révèle non seulement inconfortable et fatigant pour vous, mais il est aussi très imprudent. Un bain agréable exige une détente complète. C'est pourquoi la mère ou le père devrait s'asseoir dans le bain avec le bébé.

Votre bébé est encore trop jeune pour que vous lui enseigniez quoi que ce soit. Le bain dans la grande baignoire a pour but de le familiariser avec un plus grand volume d'eau. A ses yeux, la baignoire familiale a probablement l'air d'un lac.

Assoyez-vous dans la baignoire, qui devra contenir au moins huit pouces [18 cm] d'eau. Etendez votre bébé sur vos jambes en ayant soin de tenir sa tête hors de l'eau, et laissez-le barboter et jouer. S'il est assez fort, assoyez-le sur vos jambes et laissez-le regarder dans l'eau. Vraisemblablement, il se mettra à frapper la surface de l'eau avec ses mains. Vous remarquerez sa légèreté et sa facilité à flotter, et vous serez probablement porté à le tenir à deux mains parce que vous aurez l'impression qu'il pourrait vous échapper en flottant. De temps en temps, prenez de l'eau dans votre main et mouillez délicatement la tête du bébé, laissant l'eau couler sur son visage. Pour prévenir toute réaction nerveuse du bébé, vous aurez soin d'agir naturellement, en mettant de côté tout sentiment de culpabilité.

Claudia (11 mois), est à l'âge idéal pour faire ses exercices dans la baignoire familiale et y jouer en toute sécurité. Ici je laisse couler de l'eau sur sa tête, exercice qui doit s'effectuer durant chaque bain.

A mesure qu'il progresse, donnez à votre bébé plus d'indépendance. Il s'en trouvera plus détendu, et vous pourrez bientôt le faire flotter sur le dos en tenant seulement sa tête du bout des doigts. Si jamais le bébé vous échappe, ne réagissez pas émotivement.

Un exercice important et qui peut s'effectuer dans la baignoire familiale est le battement des jambes. Pour cela, placez la tête du bébé contre votre poitrine, tout en maintenant avec vos mains son corps sur l'eau. Tenez ses jambes au-dessus des chevilles et imprimez-leur un mouvement de battement pendant quelques minutes, juste avant la fin de son bain.

Le bain excite et fatigue le jeune bébé; veillez donc à le retirer de l'eau avant que la fatigue ne se fasse sentir. Connaissez les possibilités de votre bébé et dosez ses exercices en conséquence.

Surtout, rappelez-vous qu'il vous faut rester *détendu* avec votre bébé. Le fait d'avoir de l'eau dans le nez, les oreilles ou les yeux n'implique rien d'anormal ou de dangereux pour votre bébé. Il a déjà passé neuf mois complètement submergé dans le liquide amniotique dans le ventre de sa mère. Les bébés ne naissent pas avec la peur de l'eau. Laissez votre bébé s'habituer au bruit de l'eau qui coule. Emplissez le bain lentement et laissez-le regarder l'eau qui monte. Vous pouvez, à l'occasion, ajouter de l'eau pendant que vous vous trouvez dans la baignoire avec lui. S'il réagit en essayant de toucher le robinet, laissez-le sentir l'eau qui coule entre ses doigts. Ne faites jamais couler la douche quand le bébé est jeune. La douche viendra en son temps, lorsque l'enfant aura vieilli. Cependant, laissez-le parfois vous regarder prendre une douche; il vous demandera de lui-même de « faire tomber la pluie » quand il se sentira prêt à en faire l'expérience.

Quand il aura six mois, vous aurez pu faire de votre bébé un véritable champion de baignoire. Vous lui aurez appris que l'eau est naturelle, amusante et reposante: trois facteurs qu'il n'oubliera jamais.

Avec sa tête contre ma poitrine et mes mains sur ses jambes, je lui fais répéter le même battement de jambes qu'elle exécute dans la piscine avec son père.

Avec sa tête supportée par mes orteils, Christine (7 mois), connaît la sensation de flotter.

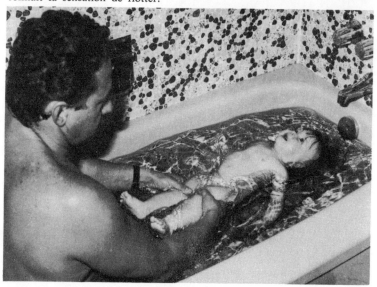

Il vous faudra alors le préparer pour l'avenir. Rappelez-vous que vers l'âge de neuf mois, il recherche l'aventure, capable à ce moment de se déplacer tout seul. Il vous incombe maintenant de le préparer à se débrouiller, dans l'eau en particulier. Si vous possédez une piscine familiale, si vous faites du camping, si vous aimez à passer vos loisirs au bord de l'eau, la sécurité de votre enfant dépend étroitement de son aptitude à flotter. Pouvoir surnager, ne serait-ce que quelques minutes, fait souvent toute la différence entre la survie et la noyade. Il faut bien dire, cependant, que toutes les noyades ne surviennent pas loin de la maison. Bien des enfants se noient à la maison même, dans la baignoire. Les jeunes enfants sont très remuants, et ils peuvent facilement perdre l'équilibre en jouant dans la baignoire. Si cet enfant n'a pas appris à flotter, il sera saisi de panique et se débattra, créant une situation dangereuse dont on ne peut, le plus souvent, les tirer que trop tard.

NE LAISSEZ JAMAIS VOTRE ENFANT SEUL DANS LA BAIGNOIRE OU PRÈS DE L'EAU, ET RAPPELEZ-VOUS QU'IL N'AURA PAS NÉCESSAIREMENT LA VIE SAUVE PARCE QU'IL SAIT FLOTTER.

AVERTISSEMENT

Il est essentiel que les enfants apprennent le plus jeune possible les techniques de survie et de natation. Les leçons de natation pour bébés n'offrent aucun danger, à condition qu'elles soient données par un moniteur qualifié et spécialement entraîné à diriger les bébés et les jeunes enfants.

La méthode utilisée pour enseigner à un bébé de six mois est tout à fait unique, et complètement différente de celle qu'on emploierait pour enseigner à un enfant de six ans.

Avant d'inscrire votre bébé à un cours de natation, il importe de consulter d'abord votre médecin. Celui-ci, en effet, pourrait trouver préférable de différer les leçons de natation, pour diverses raisons comme l'asthme, l'exzéma, les dermatites, les hernies, la tendance à s'enrhumer, les cauchemars, l'irritabilité.

De même, ayez soin de demander au moniteur de vous montrer ses certificats. Au Québec, on trouve plusieurs moniteurs qui prétendent enseigner selon ma méthode: le plus souvent, il s'agit d'une fraude. Il se peut que ces moniteurs utilisent mon Swim Buoy, mais jamais ils ne sont venus à mon école pour y apprendre ma méthode.

Parce que je crois profondément en ma méthode, je m'occupe constamment d'entraîner des moniteurs qualifiés et de leur enseigner ma méthode. Tous les moniteurs qui ont enseigné à mon école pendant le nombre d'heures requises ont reçu un certificat portant ma signature et le sceau de l'école. Donc, si le moniteur dit enseigner selon ma méthode mais s'avère incapable de produire son certificat, méfiez-vous: il y a danger.

Plusieurs de mes jeunes élèves m'arrivent après avoir suivi ailleurs, pendant des périodes allant jusqu'à deux ans, des leçons de natation; et pourtant, ils n'ont pas encore appris une seule nage. S'il le faut, demandez au moniteur de vous faire constater de temps en temps les progrès de votre enfant; autrement, vous pourriez bien vous apercevoir, un jour, que vous avez perdu votre argent et un temps précieux.

Je dois aussi prévenir les parents que ces moniteurs ne sont pas qualifiés pour enseigner correctement et avec sécurité à votre enfant. J'ai vu des parents essayer de m'imiter, et ils n'ont réussi qu'à ruiner les progrès que j'avais fait faire à leur bébé. Le rôle des parents consiste à faire exécuter au bébé les exercices qu'il a déjà appris seulement. Toutes les nouvelles étapes lui seront enseignées graduellement, au fur et à mesure de ses progrès, au lieu de lui être imposées par des parents anxieux.

Seul un moniteur qualifié devrait s'occuper de submerger les bébés; les parents, en tout cas, ne devraient jamais le faire. La submersion doit se faire en une fraction de seconde, immédiatement après que le bébé a expiré et juste avant qu'il n'inspire de nouveau. Si le moniteur agit correctement, le bébé n'avalera jamais d'eau. Avant de submerger un bébé, je place ma main sur son coeur, obtenant ainsi une bonne idée de ses capacités. Le coeur d'un bébé nerveux bat plus rapidement et m'indique qu'il vaut mieux reporter la submersion à quelques leçons plus tard.

Votre enfant ne doit jamais nager ou se mettre à l'eau avec un bonbon ou une gomme dans la bouche.

Votre enfant ne doit jamais nager ou se mettre à l'eau avec une chaîne ou un collier au cou: un tel objet pourrait facilement devenir fatal si un autre enfant s'y accrochait.

Votre bébé et son cours de natation

Les bébés les plus aptes à suivre des cours de natation sont ceux que l'on a préparés adéquatement, à la maison, aux plaisirs de l'eau — ceux qui sont devenus des « champions de baignoire » avant de se présenter à la piscine.

L'âge de l'enfant n'a pas beaucoup d'importance. Mes propres enfants pouvaient flotter sur le dos dans 8 pouces [19 cm] d'eau, sans aide, avant l'âge de deux mois. Il n'est pas recommandé d'amener à la piscine les bébés de moins de six mois, à moins que l'eau ne soit à 95° F [35° C]. C'est d'ailleurs pourquoi j'ai fixé à six mois l'âge minimum où un bébé peut être admis à ma piscine. Si vous attendez que votre bébé soit plus vieux, il faudra plus de temps pour lui faire accepter ses cours de natation. Un enfant d'un an sait déjà prévoir les réactions de ses parents. Il sait exactement ce qu'ils toléreront et il peut adapter son comportement de façon à pouvoir agir à sa guise.

Je recommande donc aux parents de garder une attitude naturelle et dégagée devant les réactions de l'enfant et de ne pas sauter inutilement de leçons. Quand les parents inscrivent leur bébé, on ne peut pas deviner comment celui-ci réagira. S'il réagit en hurlant de terreur à la première leçon (certains pleurent même avant d'avoir été mis à l'eau), il vaut mieux que j'attende quelques semaines avant de lui apprendre à flotter. Pendant ce délai, j'encourage la mère à rester dans l'eau et à poursuivre le reste des exercices avec son bébé — exercices qu'elle pourra reprendre à la maison. Je lui suggère de revenir, si possible, pendant les périodes consacrées aux exercices. Ne comparez jamais les progrès de votre bébé à ceux des autres bébés du même cours. Chaque bébé progresse selon ses propres capacités.

Durant les cours de natation, chaque bébé doit être accompagné par un de ses parents. J'accorde une attention individuelle à chacun des enfants en les prenant à tour de rôle. En attendant leur tour, les parents font les exercices de base avec leurs bébés.

Il lui faudra s'habituer à plusieurs facteurs: le grand volume d'eau de la piscine, la vue des autres bébés et de leurs parents, la température de l'eau un peu plus basse que celle de sa baignoire, le bruit des éclaboussements, l'eau qui lui entre dans les oreilles, les yeux, le nez et la bouche. Le seul fait de sauter le repas avant son cours suffit à irriter certains bébés. Ne montrez jamais à votre bébé que ses résultats vous déçoivent. Il a besoin de louanges et d'encouragement pour prendre confiance. Préparez ses affaires et amenez-le à la piscine aussi naturellement que si vous alliez à l'épicerie du coin.

Il arrive parfois qu'un enfant d'un an qui a commencé à suivre un cours de natation décide, brusquement, qu'il ne veut plus prendre de bain à la maison. Ne le forcez pas, mais offrez-lui tous les jours de prendre son bain. S'il le faut, installez-vous dans le bain avant lui et entourez-vous de quelques-uns de ses jouets favoris, puis demandez-lui s'il veut venir vous trouver. Mais si, au contraire, votre bébé aime à jouer dans la baignoire entre ses leçons, n'essayez pas de le faire flotter sur le dos. De même, n'en faites pas une « vedette » en conviant parents et amis à le regarder nager.

Stéphane nous démontre une réaction normale pour un bébé de 9 mois.

Alexandre (9 mois), nous démontre qu'un bébé peut se sentir tellement détendu dans l'eau, qu'il prend une position confortable et dort.

LES BÉBÉS QUI RÉAGISSENT
EN PLEURANT

Les bébés ne pleurent pas tous lors de leur cours de natation. Mais s'il se trouve que le vôtre tombe dans la catégories des « pleureurs », ne vous alarmez pas. Les bébés pleurent quand ils sont mouillés, quand ils ont faim, quand ils ne veulent pas dormir, quand ils veulent sortir du lit, quand ils sont fatigués, quand ils veulent attirer l'attention, etc. Ne pouvant parler, ils trouvent dans les pleurs leur principal moyen d'expression; qu'ils pleurent n'implique donc pas nécessairement quelque sérieux problème.

Josée (10 mois), n'a pas l'air de protester, même si elle sait que dans quelques minutes elle sera obligée d'effectuer ses exercices de survie.

La situation devient beaucoup plus sérieuse lorsque Josée doit apprendre à flotter. Ici elle suit la direction de ma main en essayant de trouver son équilibre elle-même.

Après un effort exceptionnel, elle réussit à reprendre sa position sur le dos comme je l'ai enseigné. Une fois sur le dos, elle me rejoint pour être rassurée.

Vous ne négligez pas ni ne retardez ses injections immunisantes ou ses soins médicaux sous prétexte que votre enfant n'aimera pas cela. Il peut parfois s'avérer très pénible d'apprendre et de grandir; mais, en tant que parents, vous savez que le développement de votre enfant exige qu'il traverse ces périodes difficiles, comme vous l'avez fait vous-mêmes à leur âge. Vous devriez considérer le cours de natation de votre enfant comme une ques-

Michelle, âgée de sept mois, se demande si elle doit pleurer ou non...

tion de vie ou de mort. De toute façon, il est réconfortant de savoir que les pleurs disparaissent généralement après les premières leçons. En outre, on doit juger sain et normal qu'il pleure: cela lui permet de soulager son exaspération.

Une fois à l'eau, Michelle s'exécute avec aisance et un certain contrôle, même si elle doit porter son ballon Swim Buoy.

Rien ne presse pour séparer le bébé de ses parents durant les leçons de natation. Certains enfants de deux ans, particulièrement avancés en natation, supportent aisément qu'on les intègre dans une classe où les parents ne peuvent les accompagner. Quant aux autres, on ne les sépare pas de leurs parents avant l'âge de cinq ans. J'admets qu'un enfant de trois ans progressera plus vite sans le soutien de sa mère, mais on ne peut impunément bousculer l'étape de la séparation.

LES COURS DE NATATION PEUVENT-ILS TRAUMATISER LES BÉBÉS?

Je dois contredire ceux qui pensent que les cours de natation précoces puissent constituer une expérience traumatisante. Les enfants traversent des expériences beaucoup plus terrifiantes au cours de leurs premières années; mais ils puisent, dans la force et l'amour de leurs parents, le courage de surmonter les plus pénibles situations.

Durant les leçons, je fais mon possible pour assurer le confort des parents et des enfants. J'insiste toujours pour que l'un des parents accompagne l'enfant dans l'eau. Un jeune enfant affiche une attitude impatiente ou même tout à fait négative quand on veut lui enseigner quelque chose — à plus forte raison si le professeur est un étranger. Apprendre à flotter est difficile et, pendant les premières leçons, votre bébé s'épuisera complètement à apprendre à contrôler ses muscles et à garder son équilibre. Certaines gens pensent que je me montre trop ferme. Si je veux qu'un enfant enregistre des progrès, je dois lui faire comprendre, dès la première leçon, que c'est moi le professeur. Si je veux obtenir quelque succès, je dois disposer de toute son attention. Mon attitude est positive, et je serai capable de communiquer avec le bébé moins en parole qu'en utilisant des élément tactiles et en le guidant. A mesure que les cours avancent, le bébé se détend.

Ma méthode n'a rien de secret. A plusieurs occasions, j'ai invité des médecins et des psychiatres à assister à mes cours. Un bon nombre des enfants qu'on me confie sont enfants de médecins. D'autre part, plusieurs médecins recommandent mon école à leurs patients. La position des médecins en faveur de ma méthode s'avère un facteur déterminant. Je constate un pourcentage élevé de réussite parmi les bébés à qui j'enseigne. Mes seuls échecs véritables proviennent de parents qui renoncent et cessent de venir au cours.

J'ai étudié plusieurs méthodes à travers le monde, et je dois dire que j'en réprouve plusieurs. En comparaison, ma méthode, qui enseigne d'abord à flotter sur le dos, est la plus sensée et la plus douce. En Californie, on commence à leur enseigner la nage du chien dès un an; il en résulte que le bébé coule sous la surface chaque fois que l'instructeur le lâche. Il arrive qu'après plusieurs mois de leçons le bébé arrive à nager sur une distance de quelques pieds — mais il n'a pas, pour autant, appris à survivre. Autrement dit, s'il tombe dans une piscine, il ne pourra jamais nager jusqu'au bord. En France, quand un bébé s'est suffisamment adapté au milieu aquatique, l'instructeur l'entraîne au fond de la piscine, dans 10 pieds [3 m] d'eau, et le laisse regagner la surface par ses propres moyens. En Australie, une fois le bébé adapté, la mère s'avance au bord de la piscine, lève son enfant dans ses bras et le projette dans l'eau d'une hauteur d'environ 6 pieds [1,8 m].

Je n'admets absolument pas de telles méthodes. Je n'arrive pas à comprendre pourquoi il serait nécessaire d'apprendre à un enfant d'un an à remonter d'une profondeur de 10 pieds. Un enfant d'un an qui tombe dans une piscine ne descend pas jusqu'à 10 pieds [3 m]. Après avoir touché l'eau, il reste juste sous la surface et se met à se débattre dans ses efforts pour s'en sortir. J'ai appris à plusieurs enfants d'un an à plonger sous l'eau à partir d'une position stable, et même à ce moment ils ne descendent pas à plus de 4 pieds [1,2 m] sous la surface de l'eau, et remontent immédiatement; puis il se placent sur le dos et battent des jambes jusqu'au bord de la piscine.

Je ne vois pas non plus la nécessité de projeter de haut le bébé dans l'eau. Quelle est l'utilité de ce geste, s'il faut se porter au secours du bébé qui ne peut sortir de l'eau sans aide? Je suis convaincu que de tels procédés peuvent non seulement traumatiser le bébé, mais aussi provoquer de sérieuses lésions de son appareil auditif. Tout adulte qui a déjà plongé en eau profonde sait très bien que la pression augmente dans ses oreilles. Vous devez aussi comprendre qu'un bébé étant environ deux fois et demie moins grand qu'un adulte, une profondeur que nous évaluons à 10 pieds [3 m] lui semblera avoir 25 pieds [7,5 m]. A mesure que vous poursuivrez votre lecture, vous vous rendrez compte que ma méthode est relativement douce.

Un fort pourcentage de mes bébés prennent des leçons de natation étalées sur toute une année. J'en ai vu plusieurs passer de 15 lbs [6,7 kg] de chair faible à 40 lbs [16 kg] de dynamite. Leur cours de natation n'a rien fait d'autre que de favoriser leur développement, leur croissance, leur coordination, tout en leur procurant, à eux et à leurs parents, l'agrément de toutes ces heures passées dans la piscine.

Je puis mentionner bien des choses capables d'affecter un bébé beaucoup plus gravement que des leçons de natation. Au moment où j'écris ces lignes, je suis père de deux enfants, une fille de neuf ans et un garçon de six ans. Ma fille est l'image même de la santé. La seule maladie grave de sa vie survint lorsqu'elle avait six ans et qu'on lui enleva les amygdales et les végétations adénoïdes. Tout se passa sans problèmes. Huit jours après l'opération, elle commença à vomir du sang: elle souffrait d'une hémorragie interne. Pour arrêter le saignement, il fallait cautériser sa gorge et la cavité adénoïde. Il fallut l'amener à l'urgence, où on l'attacha sur une table. Des pinces de métal tenaient sa bouche grande ouverte et, pendant quarante-cinq minutes, le médecin travailla à recouvrir de nitrate d'argent les plaies hémorragiques. Je n'oublierai jamais la terrible angoisse qu'elle manifestait, les cris d'agonie que la terreur lui arrachait entre ses hoquets pour respirer, les contusions que le médecin avait dû lui infliger en la maintenant. Quand cette désagréable épreuve fut terminée, elle trembla et sanglota des heures durant avant de tomber endormie. Le médecin avait fait ce qu'il fallait faire. En parlant avec le médecin, j'appris que le traitement se révélait, en effet, des plus désagréables et probablement terrifiant pour un jeune enfant, mais pas du tout douloureux — c'est d'ailleurs pourquoi on n'avait utilisé aucun anesthésique. Aujourd'hui encore, elle se souvient de ce traitement, mais je ne peux vraiment pas prétendre qu'elle s'en soit trouvée affectée.

Mes deux enfants, Régent et Lynn, sont des champions à six et dix ans. Après deux ans de maladies sérieuses, Régent a retrouvé la santé et la force en pratiquant la natation tous les jours.

Mon fils Régent, qui vient d'avoir six ans, fut très malade entre son premier et son deuxième anniversaire. Bébé, il était plein de santé, vif et fort. A l'âge de deux mois, Régent pouvait flotter dans la baignoire. A dix mois, il pouvait grimper les barreaux de l'échelle du tremplin, sauter dans la piscine et nager jusqu'au bord. A onze mois, il courait et à douze mois il pouvait monter les escaliers sans se tenir à la rampe. Il faut attribuer à ses leçons de natation son sens de l'équilibre et de la coordination.

C'est alors que commencèrent ses problèmes. A quatorze mois, on dut l'opérer pour des hernies bilatérales, après quoi on le garda une semaine . A dix-neuf mois, on dut encore transporter Régent à l'urgence: il souffrait d'un cas presque fatal d'épiglottite, grave infection des voies respiratoires qui lui rendait toute respiration impossible. On pratiqua de toute urgence une trachéotomie et, pendant des semaines, il ne put respirer qu'à l'aide d'un tube inséré directement dans les poumons par un trou à la base de sa gorge. Régent passa six semaines à l'hôpital: pendant trois semaines, il dormit sous une tente d'oxygène, attaché à son lit d'hôpital et nourri par intraveineuses. Ceux d'entre vous qui ont déjà eu une trachéotomie savent à quel point peut s'avérer déplaisant le traitement post-opératoire qui consiste à aspirer, plusieurs fois par jour, les liquides s'accumulant dans les poumons. A peu près trois mois après la trachéotomie, probablement à cause de sa faiblesse pulmonaire, Régent attrapa deux graves pneumonies. Puis, juste avant son second anniversaire, on dut le faire admettre de nouveau à l'urgence, souffrant de sa première attaque d'asthme. Vous remarquerez que toutes ces maladies et ces hospitalisations répétées sont survenues entre son premier et son second anniversaire — l'âge le plus difficile pour un enfant, d'après les médecins. Le petit costaud de 28 lbs [12½ kg] s'était mué en un frêle enfant de 22 lbs [9,9 kg].

Pour l'aider à se rétablir, toute la famille partit en vacances, vers le soleil et l'air pur de la Floride. Nous étions à peine en Floride depuis deux jours, qu'une guêpe piqua Régent sous le pied, alors qu'il était assis dehors. En moins de deux heures, son pied avait enflé, et sa température avait monté jusqu'à 105 °F [40 °C]. Il fallut le faire soigner d'urgence en Floride.

A deux ans et demi, il retourna à l'hôpital pour se faire enlever les amygdales et les végétations adénoïdes. Placé sous surveillance médicale constante et bénéficiant toutes les semaines d'injections anti-allergiques, Régent remonta graduellement la pente. Avec la permission du médecin, Régent recommença à nager à trois ans et demi. Aujourd'hui, il est fort et plein de santé, et son asthme ne le gêne plus qu'occasionnellement. Récemment, le jour de son sixième anniversaire, Régent tomba sur une bouteille brisée alors qu'il jouait dehors. Ses profondes coupures au poignet et aux tendons nécessitèrent des soins chirurgicaux et treize points de suture.

Naturellement, ses séjours à l'hôpital lui parurent très pénibles et l'angoissèrent terriblement malgré notre soutien constant. Chaque hospitalisation le laissait faible, nerveux et apeuré. Mais ce ne fut là qu'une situation temporaire; il recouvra, grâce à nos soins attentifs, sa nature remuante de naguère.

Dans ses premières années, Régent a donc traversé plus de souffrances et de douleurs que la plupart des adultes n'en éprouvent durant toute leur vie.

Je me rends bien compte que la santé de mes enfants n'a rien à voir avec la natation. Je n'ai abordé ce sujet qu'avec l'intention de démontrer aux parents que la vie des enfants est toujours susceptible de comporter de la douleur et de la souffrance. Ce n'est pas toujours une agréable expérience que de grandir.

Aujourd'hui, pour un garçon de six ans, Régent professe un très sérieux respect envers les médecins qui lui ont sauvé la vie. En fait, son ambition serait de devenir lui-même *médecin*... PEUT-ON PRÉTENDRE QUE SES MALHEURS L'AIENT TRAUMATISÉ? — PAS LE MOINS DU MONDE.

Ce qu'un bébé doit supporter à l'occasion de son cours de natation n'est rien, comparé aux souffrances que bien des bébés et enfants doivent supporter chaque jour de leur vie.

L'UTILISATION DES FLOTTEURS

Jusqu'aux années 60, on n'entendait jamais parler de natation pour les enfants de moins de huit ans. Les premières années où je commençais à m'occuper des jeunes enfants, les parents réagirent de façon inespérée. L'achat de piscines familiales, l'exode annuel des vacanciers vers la campagne et la popularité croissante des terrains de camping familial suscitèrent une énorme demande pour un programme qui apprendrait aux enfants les dangers de l'eau, à vaincre leur peur de la profondeur, et à devenir tôt de bons nageurs.

Jusqu'aux années 60, les programmes de natation en vigueur dans les différentes piscines du pays se ressemblaient tous, chaque groupement copiant sur le voisin. Une règle inflexible voulait alors que l'enfant ait huit ans pour avoir accès aux cours de débutants. S'il avait la malchance d'être de taille exceptionnellement petite, on refusait de l'accepter et on lui disait de revenir quand il serait assez grand pour toucher le fond de la piscine. La règle générale interdisait qu'on se serve de flotteurs pour enseigner la natation à l'enfant. A mon avis, on peut appeler « flotteur » tout ce qui peut aider l'enfant à surnager et à prendre confiance. Toucher le fond de la piscine avec ses pieds, agripper le bord de la piscine ou tenir les mains de l'instructeur, tout cela équivaut à l'utilisation de flotteurs pour aider l'enfant à nager..

Dans plusieurs piscines du pays, on désapprouve l'utilisation de « flotteurs artificiels » pour aider l'enfant. On juge préférable de lui apprendre à se détendre, à aimer l'eau, à jouer et à flotter. C'est parfait pour des enfants de huit ans qui ont déjà acquis l'habitude de l'eau, mais au moins 50% des enfants de huit ans ont peur de l'eau, à tel point qu'il faut leur porter une attention spéciale parce qu'ils ne peuvent suivre les cours réguliers. Ils ne peuvent se détendre suffisamment pour profiter des jeux aquatiques et, s'ils se voient privés de l'attention particulière qu'il leur faut, ils cesseront de venir à leur cours et n'essaieront peut-être plus jamais d'en suivre.

Les programmes en vigueur au début des années 60 comportaient aussi des groupes d'âge. Si l'enfant devait avoir au moins huit ans pour entreprendre les cours pour débutants, il devait en avoir au moins dix pour accéder à la catégorie suivante où on lui enseignait le style libre et la nage sur le dos, et au moins douze pour l'autre catégorie où il pouvait apprendre la brasse, la nage de côté et des éléments de nage sur le dos. Un tel système mettait les élèves doués et les bons nageurs dans la triste obligation d'attendre parfois deux longues années avant d'apprendre quelque chose de nouveau. Au début des années 70, on abattit toutes les barrières élevées par les restrictions d'âge minimum, et aujourd'hui, même un enfant de neuf ans peut accéder au niveau le plus élevé s'il possède bien toutes les nages.

J'aime à penser que j'ai fortement contribué à l'abolition des groupes d'âges. Au début des années 60, alors que je m'occupais très sérieusement de mon enseignement, j'ai formé plusieurs enfants de six ans qui pouvaient nager des longueurs de piscine en utilisant toutes les nages. A la même époque, j'ai enseigné à des milliers d'enfants la nage du chien et d'autres nages, avant même qu'ils soient assez vieux pour aller à l'école, de sorte qu'ils étaient prêts et passionnés pour des cours avancés au moment où ils atteignaient cet âge minimum de huit ans. Pour répondre aux demandes des parents, il fallut changer, graduellement, les programmes existants pour accueillir ces mini-champions et leur procurer des cours avancés.

Vouloir apprendre la nage du chien à un enfant de trois ou quatre ans constitue un défi presque impossible à relever, quand ces jeunes ne peuvent pas toucher le fond de la piscine. Comment donner confiance à un jeune enfant, lorsqu'il coule sous la surface dès que vous le lâchez? Les enfants de trois ans et plus ont généralement perdu l'instinct naturel qu'ils possédaient quand ils étaient bébés. Je veux dire par là qu'en vieillissant ils ferment leurs yeux, pincent leur nez et avalent beaucoup d'eau parce qu'ils ne retiennent pas leur respiration instinctivement.

Puisque le temps où ils apprennent à nager devrait représenter une période heureuse dans la vie des enfants, j'ai lancé le « Swim Buoy », un article de qualité conçu dans un esprit de sécurité. Le Swim Buoy n'est ni un genre de gilet de sauvetage, ni un jouet, mais bien plutôt un outil essentiel pour l'enseignement de la natation. On peut régler la quantité d'air selon le poids de chaque enfant, de façon à lui assurer assez de flottabilité pour l'empêcher de couler. Une fois que l'enfant a appris à nager avec son Swim Buoy, il enregistre des progrès rapides. Après aussi peu de dix leçons, la plupart des enfants peuvent nager 15 ou 20 pieds [4,5 ou 6 m] sans aide et avec la plus grande facilité, le Swim Buoy lui ayant été enlevé. Fort du soutien mental et physique que lui procure son Swim Buoy, le jeune enfant peut poursuivre son apprentissage et accéder aux cours avancés.

Le ballon Swim Buoy peut supporter les enfants de tous âges. Il est dégonflable graduellement selon le progrès de chaque enfant. Le Swim Buoy donne confiance à l'enfant.

La veste de natation est réservée de préférence aux enfants qui pratiquent la natation dans un lac.

Benoît Martin, 15 mois, essaie sa veste de natation qui l'aide à flotter.

Le collet flottant est une aide très efficace, spécialement pour les enfants handicapés.

Pour rappeler à l'enfant qu'il n'est pas aussi bon nageur qu'il peut le croire, je lui enlève parfois son Swim Buoy. Le résultat ne se fait pas attendre, et il coule habituellement sous la surface. J'avoue que ce n'est pas agréable à faire, mais l'enfant retient qu'il DOIT porter son Swim Buoy chaque fois qu'il veut nager.

J'ai aussi instauré l'usage du « collet flottant », une aide très précieuse, spécialement pour les enfants handicapés. J'ai quelques enfants atteints de paralysie cérébrale qui portent à la fois le Swim Buoy et le collet flottant. Mes flotteurs de bras, que j'appelle Swim Aid, se révèlent aussi très utiles, bien qu'ils gênent un peu le mouvement des bras. Les palmes s'avèrent, pour leur part, d'une utilité considérable, en aidant les enfants à acquérir un battement de jambes correct. Aussi, lorsqu'un enfant sait nager avec des palmes, je puis lui enlever son Swim Buoy et il nage quand même avec facilité, les palmes lui assurant une flottabilité suffisante. Elles aident l'enfant à pointer ses orteils, tout en lui faisant adopter une bonne position horizontale dans l'eau.

Je dois rappeler aux parents de ne jamais laisser leurs enfants nager seuls, qu'ils portent ou non leur flotteur. On connaît d'excellents nageurs qui se sont noyés. NE NAGEZ JAMAIS SEUL.

COMMENT VOUS POUVEZ AIDER VOTRE BÉBÉ

Procurez-lui tout l'entraînement possible dans la baignoire, à la maison.

Habituez votre bébé à s'étendre dans la baignoire.

Ne le faites pas manger avant ses leçons. S'il a faim, donnez-lui un peu plus de jus au lieu de nourriture solide.

Assurez-vous que son maillot est bien ajusté, qu'il n'est ni trop grand ni trop petit. Evitez les volants et les jupes aux maillots des filles, et les tricots épais pour ceux des garçons.

Prenez garde que le casque de bain ne soit pas trop serré; mais qu'il ne soit pas trop lâche non plus, sans quoi il se remplirait d'eau et apesantirait la tête de l'enfant.

Pour que les jeunes enfants soient à l'aise dans l'eau, j'ai sorti les maillots de compétition en polyester, les casques pour les petites têtes (sans la ganse), les lunettes de natation pour protéger les yeux et les palmes pour renforcer les jambes.

Faites en sorte que l'un ou l'autre des parents accompagne l'enfant dans l'eau. Les deux parents à la fois ne pourraient qu'embrouiller les choses, trois personnes disant au bébé comment faire — eux et moi.

Consultez votre médecin avant que l'enfant n'entreprenne ses leçons.

N'omettez aucun renseignement sur la santé et les habitudes personnelles de votre enfant.

Prévenez-moi immédiatement si quelque problème survenait après que l'enfant eut entrepris ses leçons.

Veuillez m'informer de tout incident malheureux qui pourrait avoir eu une influence sur le caractère de l'enfant — hospitalisation, accident à la maison ou en automobile, parents célibataires, la mère qui travaille, etc.

Ne bourrez pas inutilement d'ouate son nez ou ses oreilles. Il n'est pas non plus nécessaire de lui mettre des gouttes dans les yeux avant ou après ses leçons.

Si votre bébé utilise une tétine, laissez-la-lui pendant ses leçons. Elle l'aidera à garder la bouche fermée, et il pourra respirer suffisamment par le nez.

Ne brûlez jamais les étapes du cours en essayant de lui enseigner quelque chose de nouveau. Je lui ferai franchir chaque nouvelle étape en son temps. Votre rôle consiste à en faire un expert dans ce qu'il a déjà appris.

Ne le grondez jamais s'il a de mauvais résultats. Rappelez-vous qu'un bébé aussi a ses mauvais jours.

N'amenez pas des groupes de parents et amis pour le regarder. Ses leçons de natation doivent toujours rester une affaire intime entre ses parents et moi. Parents et amis pourraient cependant se voir invités à revenir à l'occasion d'une séance d'entraînement, où chacun peut se mettre à l'eau et s'amuser à nager avec le bébé.

Amenez-le pratiquer à la piscine aussi souvent que possible.

Ne manquez jamais de leçons sans motifs valables.

Cours de natation pour bébés

En une première série de dix leçons, je donnerai au bébé un cours de survie. Autrement dit, je lui apprendrai à se dégager de la position ventrale qui ne lui permet de survivre que quelques secondes, pour se tourner sur le dos et flotter dans cette position où il pourra surnager et respirer librement, aussi longtemps que 20 minutes si nécessaire. Je lui apprendrai à se tourner sur le dos, de quelque façon qu'il entre dans l'eau. Il serait absurde de ma part de lui apprendre seulement à flotter sur le dos, sans tenir compte des différentes entrées dans l'eau.

Richard, bébé champion de 14 mois, utilise une tétine dans ses cours et pratique une respiration par le nez.

Martin, 11 mois, déjà un expert de « Survie » . . .

Par exemple, s'il se traîne volontairement jusque dans la piscine familiale, il y tombera tête première; s'il y glisse alors qu'il se tient sur le bord, il peut entrer dans l'eau les pieds les premiers ou faire un plat-ventre. Il peut même tomber à la renverse. Quelle que soit son entrée, un bébé parfaitement adapté au milieu aquatique parviendra à contrôler sa panique et à se tourner facilement, *sans aide,* sur le dos, position qui lui permettra de flotter un bon 20 minutes. Il apprendra que seule la position dorsale peut lui permettre de respirer normalement.

Il m'est beaucoup plus facile d'apprendre les techniques de survie à des bébés âgés de six à douze mois. En effet, le jeune bébé est plus détendu et il apprendra avec beaucoup moins de résistance qu'un bébé plus vieux. Il est toujours préférable, même avec un bébé de deux ans, de commencer avec la position dorsale; mais parfois, à cet âge, cela s'avère impossible et je dois commencer avec la nage du chien. Avec l'aide du Swim Buoy, il pourra probablement effectuer la nage du chien dès sa première leçon, mais sa sécurité dépendra évidemment de son Swim Buoy — tandis que le jeune bébé qui sait flotter sur le dos peut le faire sans flotteur.

On me pose souvent la question: « Comment faites-vous comprendre au bébé ce que vous attendez de lui? » J'enseigne la natation aux bébés en leur montrant ce que je veux qu'ils fassent. Ils maîtrisent chaque étape à la perfection après plusieurs répétitions, de la même manière qu'ils apprennent à marcher à la suite de plusieurs essais où il fallait les aider et les soutenir. Il serait illogique de s'adresser au bébé en utilisant des mots qu'il ne comprendrait pas. Un expert en communications de l'université U.C.L.A. à Los Angeles rapporte que les mots qu'une personne utilise en parlant représentent seulement 7% de sa communication; 38% sont véhiculés par son intonation, et 55% par les expressions de son visage et ses gestes. J'aborde mes bébés avec assurance et en croyant à ce que je fais — attitude qu'il sent fort bien, tout comme il peut sentir la nervosité ou la peur chez ses parents.

En tant que parents, vous vous demanderez sûrement pourquoi vous devriez vous donner tant de peine en inscrivant votre bébé à de tels cours, alors qu'il est si jeune. Cela en vaut-il vraiment la peine?

Voici quelques-uns des avantages que votre bébé retirera de ses leçons:

A deux ans, votre enfant ne nagera pas le crawl, mais il se révélera tout à fait capable de sauver sa vie en cas d'urgence.

Initier si tôt un bébé à la natation a pour effet de développer ses réflexes innés et de lui procurer un excellent exercice grâce à la liberté de mouvement possible dans l'eau. Un bébé qui entreprend un cours de natation dans les premiers mois de sa vie pleurera seulement quand on le sortira de l'eau.

Bien qu'un bébé ne puisse marcher ni parler, une adaptation précoce au milieu aquatique dissipera toutes ses craintes et lui permettra d'atteindre, tôt dans sa vie, un haut degré de sécurité dans l'eau.

On sait que l'on peut obtenir de grands progrès physiques et mentaux au cours du développement d'un jeune enfant, en le soumettant à un système de gradation des exercices et de l'enseignement. Ces bébés détiennent une confortable avance sur les autres, et ils garderont propablement les devants toute leur vie.

Le professeur Diem de l'université de Cologne, en Allemagne de l'Ouest, s'est acquis la faveur des pédiatres du monde entier, qui ont approuvé et appuyé sa thèse scientifique et ses études poussées sur les avantages qu'un bébé peut retirer de ses cours de natation et sur ses progrès durant les années pré-scolaires.

ADAPTATION AQUATIQUE

Première étape

On peut considérer la première leçon comme une période où nous lions connaissance, le bébé, ses parents et moi. C'est à ce moment qu'il faut m'informer de tout problème qui pourrait faire obstacle à ce que j'enseignerai au bébé. Je montrerai aux parents la position adéquate pour le premier exercice du cours de survie. Une fois que la mère ou le père est à l'eau avec le bébé, je le fais s'adosser contre le bord de la piscine, les épaules au niveau de l'eau. Je place le bébé sur le dos, sa tête reposant contre l'épaule de l'adulte. Celui-ci tient les jambes du bébé au niveau des genoux, tout en soutenant son corps sur ses bras. Sauf la tête, le bébé se trouve complètement immergé. Le rôle de l'adulte (père ou mère) consiste à apprendre au bébé le battement des jambes et à l'habituer à rester sur le dos. Les bébés qui ont appris à s'étendre sur le dos dans la baignoire familiale se détendront dans cette position, dès la première leçon. Il est nécessaire que le bébé apprenne à bouger ses jambes, parce qu'il aura besoin de leur concours pour passer de la position ventrale à la position

Josée s'apprête à exécuter son exercice de battements. Ses genoux étant pliés, sa mère doit lui raidir les jambes pour les « verrouiller » en position.

Les jambes sont bien étendues, et la mère peut à présent entreprendre les exercices de battements.

dorsale; et une fois sur le dos, le bébé se rendra vite compte que son battement de jambes peut l'amener jusqu'au bord de la piscine. Plusieurs enfants d'un an peuvent agripper le bord de la piscine, se retourner et se hisser hors de l'eau! On devrait répéter ce battement, entre les leçons, dans la baignoire familiale, en tenant les genoux du bébé pour lui apprendre à garder les jambes droites.

Deuxième étape

Je n'entreprends la deuxième étape qu'au moment où le bébé semble à l'aise dans la première position. Pour cette nouvelle étape, j'amène le bébé et l'adulte au milieu de la piscine. Je sépare le bébé de l'adulte, à qui je recommande de regarder attentivement pendant que le bébé vivra sa première expérience de submersion totale. Je place une main entre les épaules du bébé, sup-

José reçoit un peu d'encouragement d'un père très enthousiaste.

portant sa tête avec les doigts, et mon autre main sur sa poitrine. Dans cette position, je le laisse flotter pendant quelques secondes. Je surveille le rythme respiratoire du bébé, et je le submerge totalement juste après qu'il eut pris une inspiration normale. Ce geste doit être calculé presque à la fraction de seconde pour éviter que le bébé n'avale de l'eau inutilement. Le bébé ne demeurera submergé que quelques secondes, pendant lesquelles il retiendra instinctivement sa respiration. Les yeux grands ouverts, il regardera soit moi-même, soit celui de ses parents qui l'accompagne. Un bébé bien préparé subit cette immersion sans trop réagir — alors que certains parents réagissent nerveusement et produisent sur l'enfant un effet néfaste.

Michelle, sept mois, prête pour la submersion totale. Ma main droite doit supporter sa tête, ma main gauche s'appuie sur sa poitrine. Je surveille son rythme respiratoire et je la submerge totalement, juste après qu'elle eut pris une inspiration normale.

La submersion totale ne devrait durer que quelques secondes.

Mathieu, six mois, émergeant après sa submersion. On peut constater qu'il n'a pas avalé d'eau.

Je me souviens d'une mère qui me regardait immerger son bébé (un de mes champions). Debout au bord de la piscine, elle fit entendre un énorme hoquet, comme si elle avalait de l'eau. L'incident amusa fort les autres parents, mais le bébé se mit à pleurer, comme s'il avait senti le malaise de sa mère. Une autre mère nerveuse donna aussi, un jour, un spectacle assez amusant. Je lui expliquais la submersion totale, lui demandant de suivre attentivement mes gestes et les réactions du bébé. Comme j'enfonçais le bébé dans l'eau, elle suivait tous mes mouvements de si près que, lorsque je sumergeai brusquement son bébé, elle fit de même et disparut sous la surface, juste à côté de l'enfant. Le bébé remonta sans un cri. La mère avala de l'eau et reparut en toussant et en crachant. Elle était si surprise et embarrassée qu'elle fondit en larmes. A partir de ce jour, ce fut le père qui accompagna l'enfant à l'eau. Quant à la mère, elle s'inscrivit elle aussi à un cours de natation.

Je ne submerge un bébé qu'une ou deux fois durant la première semaine. Quand le bébé a connu la submersion totale, je soutiens sa tête d'une main et agite mon autre main devant lui. Toujours en soutenant sa tête, je commence à lui apprendre à trouver son équilibre dans l'eau. Si le bébé a tendance à rouler vers la droite ou vers la gauche, ma main libre bouge en conséquence, lui montrant de quel côté il lui faut se tourner pour contrôler son roulement. Je tiens sa tête de façon que ses oreilles soient juste sous la surface. Intelligent, le bébé comprend vite que ses mouvements trop vifs vers la droite ou vers la gauche le font couler. Il comprend également que si son corps tourne, sa tête tournera en même temps et qu'il se retrouvera en position ventrale — et en danger. Certains bébés apprennent si rapidement que je parviens à les faire flotter dès la première leçon. Vu qu'un bébé ne peut retenir sa respiration que peu de secondes, il faut opérer sa submersion d'un geste vif et sans hésitation.

Troisième étape

Une fois que le bébé est habitué à flotter sur le dos avec ses parents et qu'il a réussi ses premières expériences de submersion

Matthew, 8 mois, ne sait trop s'il veut vraiment flotter seul.

Quelques minutes plus tard, un Matthew tout souriant nous prouve qu'après tout ce n'est pas si compliqué.

Gabriel, 11 mois, démontre qu'il peut faire tout ce que fait Matthew. Le Swim Buoy est presque complètement dégonflé et forme un coussin supportant sa tête.

totale, il est temps que je cesse de l'aider en lui soutenant la tête. Pour faciliter les choses au bébé, je recommande, à ce moment, l'usage du Swim Buoy. Le Swim Buoy est un flotteur gonflable qui, en contenant un maximum d'air, pourrait supporter même le père. Le bébé étant très léger, je n'insuffle qu'un peu d'air dans le flotteur: de quoi former un coussin de 1 ou 2 pouces [2,4 ou 5 cm] d'épaisseur. Le Swim Buoy a la forme d'un ballon de football et mesure 12 pouces [28 cm] de long. Je place le Swim Buoy très haut sur le dos du bébé, l'attachant sur sa poitrine. De cette façon, non seulement il supportera le corps du bébé, mais il l'empêchera aussi de rejeter sa tête trop loin en arrière. Au cours de la deuxième étape, je lui ai appris à flotter sur le dos pendant que je lui soutenais la tête. Je lui apprendrai à présent à flotter tout seul avec son Swim Buoy. Comme à la deuxième étape, je le dirigerai de la main, attirant son attention tantôt à gauche, tantôt à droite. Il arrive souvent que le bébé se retourne complètement. Il retient alors instinctivement sa respiration, au moment même où son visage arrive sous l'eau, de sorte que ce retournement ne saurait lui nuire d'aucune façon. Cela, d'ailleurs, lui donne un bon exemple de ce qu'il ne faut pas faire. Chaque fois qu'il se retrouve en position ventrale, je l'aide à compléter un tour complet jusqu'à ce qu'il soit de nouveau sur le dos, lui faisant du même coup comprendre que *la position ventrale est mauvaise* parce qu'il ne peut pas respirer. Je le ramène toujours en position dorsale en attrapant une de ses jambes et en l'aidant ainsi à compléter son roulement. Ce geste apprend et rappelle au bébé qu'en utilisant ses jambes il pourra revenir de lui-même sur le dos.

Quatrième étape

Au début de la quatrième étape, nous avons un bébé capable de flotter en se passant complètement de mon aide, mais en utilisant son Swim Buoy. Maintenant qu'il peut garder son équilibre et flotter sur le dos pendant quelques minutes, je le retournerai volontairement sur le ventre, après avoir observé son rythme respiratoire, quitte à l'aider à reprendre sa position dorsale. Après plusieurs répétitions de ce mouvement, le bébé maîtrise très rapidement cette technique, sans aide. Si le bébé roule de façon incontrôlable, je gonflerai davantage le flotteur et le fixerai sur son ventre. Le Sim Buoy le maintient alors en position horizontale et l'aide généralement à perdre l'habitude de rouler à gauche et à droite.

Cinquième étape

Au début de la cinquième étape, le bébé sait flotter avec l'aide du Swim Buoy et il peut passer de lui-même de la position ventrale à la position dorsale. Au cours de cette cinquième étape, j'enlèverai au bébé son Swim Buoy et l'inciterai à exécuter les mêmes mouvements seul — tout en lui apportant l'aide nécessaire. Il serait absurde d'accélérer le processus: le bébé deviendra vite un petit expert capable de déterminer seul la façon dont il se servira de ses jambes et de ses bras.

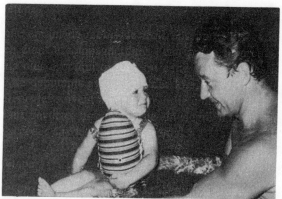

Fanny, 18 mois, est une preuve de la communication qui s'établit entre l'enfant et moi. La parole serait ici inutile. Le Swim Buoy, porté sur le ventre, aide l'enfant à flotter sans basculer.

Flotter sans l'aide de son Swim Buoy est plus difficile. Ici Fanny doit se servir de ses jambes pour garder son équilibre.

Sixième étape

A ce stade, le bébé flotte et se retourne complètement par lui-même. Il a confiance en ses capacités. Il a fait du chemin depuis sa première leçon; il se sent comme un champion et aime ce qu'il fait. A ce moment, je peux dire aux parents que leur bébé est vraiment adapté au milieu aquatique. Je laisse le bébé flotter sous les yeux de ses parents pendant une période allant de cinq à quinze minutes; de temps en temps, je le retourne sur le ventre et le laisse reprendre par ses propres moyens la position dorsale. Je passerai encore quelques leçons à effectuer une révision com-

Darlène a deux ans. Son corps s'enfonce un peu trop profondément, mais elle réussit quand même à flotter.

plète de tout ce que je lui ai enseigné. S'il me paraît fatigué, je le munirai de son Swim Buoy si nécessaire, et particulièrement s'il a manqué quelques leçons.

Septième étape

A présent, je tiens dans mes bras un bébé que je pourrais appeler un champion. Mais il a encore une victoire à remporter: garder son contrôle à la suite de n'importe quelle entrée dans l'eau. Il doit avoir acquis des réflexes rapides, parce qu'il lui faut maintenant se tirer seul des mauvais pas où il se met. Je demande aux parents d'apporter un des jouets de baignoire préférés du bébé, ou n'importe quel objet flottant qu'il reconnaîtra comme sien. Le bébé étant assis ou debout sur le bord de la piscine, je tenterai de le convaincre de venir dans l'eau jouer avec son jouet. Si je ne parviens pas à le décider, je demanderai au père ou à la mère de venir dans l'eau et de l'appeler. Si de telles méthodes n'arrivent pas à le décider à se jeter à l'eau, je l'assoierai sur le bord de la piscine et, graduellement, le pousserai vers l'avant jusqu'à ce qu'il perde l'équilibre et tombe, sur le ventre et le visage dans l'eau. A ce moment, le bébé devrait se retourner sur le dos de lui-même, mais puisque c'est la première fois qu'il se trouve dans une telle situation, il me faudra peut-être l'aider un peu. Quand le bébé

Julie, six mois, sait que je demande beaucoup d'elle. Elle n'attend pas la prochaine étape avec une hâte excessive.

Sans plus attendre, je place Julie sur le dos; elle flotte sans l'aide de son Swim Buoy.

aura retrouvé son équilibre, je le laisserai flotter quelques minutes avant de le rendre à ses parents. Je répéterai les mêmes gestes à chaque leçon, tout en l'encourageant à agir de lui-même. Puis, délaissant la position assise, je le pousserai à l'eau à partir de la position debout ou le ferai basculer à la renverse, attendant toujours de lui qu'il fasse surface en flottant sur le dos.

Huitième étape

C'est la dernière étape du cours d'adaptation et de survie. Le bébé peut à présent réussir tous les exercices du cours, agissant complètement seul. Après que le bébé aura effectué son entrée dans l'eau, fait surface et flotté sur le dos, j'essaierai de lui inculquer le sens de la direction. Vu qu'il peut battre des pieds — plusieurs peuvent même se servir de leurs mains et nagent réellement sur le dos —, j'essaierai de lui apprendre à gagner le bord de la piscine le plus rapproché. Quand il saura se rendre jusqu'au bord, je lui montrerai à saisir le rebord d'une main et à se tourner face à la paroi de la piscine en baissant ses pieds et en se tenant en

Lyne a commencé ses cours à six mois. A douze mois, nous l'avons photographiée, en séquence, pour montrer combien elle est adaptée au milieu aquatique. Ici, elle est assise au bord de la piscine.

Après quelques mots d'encouragement, je la pousse
à l'eau.

Lyne se débat pour se mettre en position dorsale, exercice qu'elle maîtrise
à la perfection.

En se servant de ses bras et de ses jambes, Lyne se remet sur le dos mais sa position n'est pas encore stable.

Une fois bien placée sur le dos, Lyne peut flotter encore une heure. A mon signal, elle se sert de ses jambes pour atteindre le bord de la piscine.

Avec beaucoup d'efforts, elle sort de la piscine toute seule, sous la surveillance de sa maman.

Richard, 18 mois, se débrouille seul comme un vrai champion, après avoir terminé une longueur de piscine sur le dos.

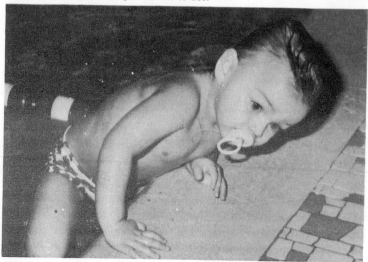

position verticale, les deux mains maintenant agrippées au rebord. Je mettrai mon pied ou ma main sous ses pieds et le pousserai doucement vers le haut, l'encourageant plus ou moins à se hisser en s'aidant de ses mains et de ses genoux.

Pour parfaire le cours de survie, il est extrêmement important d'enseigner à l'enfant à sortir tout seul de la piscine. Vous pouvez l'y entraîner à la maison, en incitant le bébé à entrer dans la baignoire et à en sortir seul, ou en lui apprenant à grimper sur une chaise en utilisant la force de ses bras. Dans la piscine, certains bébés ont trouvé le chemin de l'échelle et ont pu sortir de l'eau en utilisant les barreaux et les montants, faisant preuve d'une vive intelligence malgré leur très jeune âge.

Quelques suggestions à retenir

Commencez et terminez toujours chaque leçon par une petite séance de jeu dans l'eau. Apprenez à connaître les capacités de votre bébé et ne le laissez pas dans l'eau trop longtemps. Faites les exercices à la maison et revenez à l'école entre les leçons pour parfaire l'entraînement, si la chose est possible. N'essayez jamais de lui apprendre quelque chose de nouveau: c'est mon travail. Quand vous faites les exercices dans une piscine, ne le poussez jamais à l'eau. Il supportera que moi, je le pousse pendant ses leçons, parce qu'il sait que je suis son professeur. Car il faut dire que même les bons nageurs n'aiment pas à être poussés ou jetés à l'eau. C'est pourquoi si vous poussez votre bébé à l'eau à chaque séance d'exercice, vous finirez par lui faire détester ses cours. S'entraîner à nager devrait signifier jouer à nager. Quand vous l'entraînez dans la baignoire familiale, faites preuve de bon sens. Je connais une mère qui assoyait son bébé sur le bord de la baignoire et le poussait à l'eau pour l'habituer à se tourner sur le dos. Il finit par se fendre la tête sur le porte-savon.

Ne menacez jamais votre enfant en évoquant son cours de natation. Je veux dire par cela que certains parents détruisent les progrès et la confiance que j'ai pu obtenir chez des débutants. Lorsqu'ils veulent faire obéir l'enfant, ils lui disent: « Si tu n'es

Vedette à 23 mois, Pascal est très à l'aise devant une foule, à la Place
Bonaventure où les démonstrations de mes bébés champions ont attiré
75,000 spectateurs durant trois jours.

Johanne, 18 mois, semble très petite et démunie dans cette grande piscine; mais elle est tout à fait adaptée au milieu aquatique et peut se tirer de situations très dangereuses.

Après 20 minutes, Johanne est retirée de l'eau et réchauffée par ses parents.

pas sage, je vais t'amener au monsieur de la piscine »; ou encore: « Je vais appeler ton professeur de natation si tu es désobéissant. » Cela peut vous paraître ridicule, mais il reste que le cas se présente très souvent. Ces parents apprennent, en fait, à leurs enfants à avoir peur de moi et leur font développer une réaction négative à l'égard de leur cours de natation.

LA NAGE DU CHIEN

(Pour bébés et enfants plus âgés)

Il est beaucoup plus facile d'enseigner aux enfants la nage du chien que les mouvements de survie. Je préfère toujours commencer par montrer à l'enfant comment survivre en flottant sur le dos, parce qu'une fois cette technique maîtrisée il est capable de flotter assez longtemps pour sauver sa vie. L'enfant qui commence en apprenant la nage du chien ne peut pas vraiment se tirer d'affaire si l'eau est trop profonde pour que ses pieds puissent toucher le fond. Ma méthode d'enseignement de la nage du chien étant la même pour les enfants plus âgés que pour les bébés, je continuerai de prendre ces derniers comme exemples.

Le candidat idéal au cours de nage du chien serait un enfant qui aurait suivi avec succès un cours d'adaptation aquatique pour bébés et qui pourrait maîtriser la position dorsale de survie. Tou-

Dominique, 23 mois, a terminé la nage de survie et la nage du chien. Elle porte ses lunettes de natation qui l'aideront dans les cours avancés.

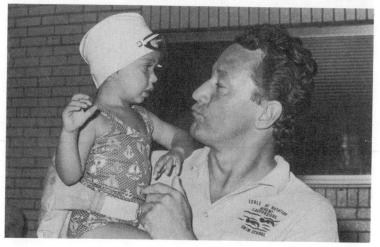

tefois, certains bébés se montrent extrêmement nerveux quand on les place sur le dos, les plus âgés en particulier. Si je ne parviens pas, après quelques semaines d'efforts à faire flotter un bébé de cet âge sur le dos, je n'insisterai pas davantage et changerai tout simplement de méthode. J'enseignerai à cet enfant, tout comme aux débutants de trois ans et plus, la nage du chien.

Chaque enfant doit posséder son propre Swim Buoy. Vu qu'il s'agit d'un objet personnel, ajusté au poids et aux progrès personnels de chaque enfant, je désapprouve les parents qui prêtent le Swim Buoy de leur enfant à un autre, même au frère ou à la sœur. Quand le bébé portait le Swim Buoy sur le dos, celui-ci n'était que légèrement gonflé. Maintenant, il va apprendre la nage du chien et devra disposer d'un flotteur un peu plus gonflé. Il doit toujours y avoir assez d'air dans le Swim Buoy pour supporter l'enfant de telle façon que sa tête sorte complètement de l'eau quand il se tient en position verticale.

Première étape

[note manuscrite : ICI — mettre des flotteurs aux bras des enfants]

[note manuscrite : et] J'aligne les parents contre le bord de la piscine. Une fois le Swim Buoy solidement ajusté, je mets les bras de l'enfant autour du cou de la mère. Celle-ci doit tenir les pieds de l'enfant et leur imprimer un mouvement circulaire ~~qu'on pourrait plus facilement expliquer si l'on pouvait dire à l'enfant de faire~~ comme s'il courait ou pédalait à bicyclette. Des bébés qui ne pouvaient pas encore marcher ont appris la nage du chien en même temps qu'ils apprenaient à flotter sur le dos. La plupart des bébés sont placés dans des trotteuses à partir de quatre mois environ; ils y apprennent à mouvoir leurs jambes alternativement, même s'ils ne savent pas marcher. Ils apprennent maintenant à effectuer le même mouvement dans l'eau. Les genoux de l'enfant doivent être légèrement pliés quand la mère lui fait faire cet exercice.

Deuxième étape

Après des exercices soutenus pour développer le mouvement de course des jambes, ~~je demanderai~~ *[note manuscrite : demander]* à la mère (ou au père) de

84

Lyne commence les exercices pour apprendre la nage du chien.

tenir son enfant par les mains et de l'inviter à courir vers l'avant tandis qu'elle recule lentement. Il faut faire comprendre à l'enfant qu'il doit tenir sa tête hors de l'eau et sa bouche fermée. A l'occasion, quand un enfant crie en faisant cet exercice avec sa mère, il m'arrive de la remplacer. Je dois lui apprendre à garder la bouche fermée; c'est pourquoi je le tiens momentanément de façon qu'il ait la bouche dans l'eau. Cela l'aide à comprendre qu'il lui faut fermer sa bouche, sous peine d'avaler de l'eau.

Troisième étape

Durant les première et deuxième étapes, la mère tenait l'enfant. A présent, ses pieds devraient se mouvoir aisément et continuellement. Le temps est venu de lui faire faire la même chose sans l'aide de sa mère. Si l'enfant semble avoir un bon équilibre, je lui donnerai un ballon à tenir pendant qu'il fait ses mouvements

Sophie, deux ans et demi, tient le câble pour se reposer, avant de continuer ses longueurs en nage du chien.

de jambes tout seul. Certains bébés préfèrent au ballon une planche flottante; cela ne fait aucune différence. Si je m'aperçois que l'enfant a l'air méfiant et nerveux, je l'entourerai d'un flotteur gonflé ou lui laisserai tenir le câble divisant la piscine. En tout temps, l'enfant porte son Swim Buoy.

Quatrième étape

Au cours de la quatrième étape, mon but sera d'éliminer tout objet dont l'enfant pourrait s'aider pour garder son équilibre. La mère tient les mains de l'enfant et imprime à ses bras des mouvements circulaires, pour lui apprendre à exercer une traction dans l'eau. L'enfant peut d'abord faire le mouvement en restant assis sur le bord de la piscine, puis ensuite s'y entraîner dans l'eau. Il faut inciter l'enfant à mouvoir constamment ses jambes (mouvement de course) en coordination avec les tractions de ses mains, tout en gardant la tête haute et la bouche fermée.

Cinquième étape

A présent, je vais cesser de tenir les mains de l'enfant. Il se peut qu'il réagisse d'abord en interrompant tout mouvement, ce qui le fera basculer vers l'avant. Je recommencerai l'expérience, mais en lâchant ses mains une à la fois. L'enfant apprendra vite à conserver son équilibre et à poursuivre son mouvement de jambes. Il arrive fréquemment que le jeune enfant ne fournisse qu'un vague effort pour bouger ses bras. Ses jambes feront presque tout le travail. La mère doit continuer à développer le mouvement des bras, puisque l'enfant coordonne mal ses bras et ses jambes. L'enfant conservera une position presque verticale, la tête hors de l'eau.

Eric, 2 ans, exécute la nage du chien en portant son Swim Buoy. Remarquez qu'il garde la bouche fermée.

Pascal, un an et demi, à son premier essai de nage du chien.

Sixième étape

Je consacre la sixième étape à inciter l'enfant à se pencher légèrement en avant et à relever ses jambes vers la surface de l'eau. Cela s'obtient difficilement, parce que l'enfant craint, en levant ses jambes vers l'arrière, de basculer en avant, la face dans l'eau. C'est pourquoi, au cours de cette étape, je remets à l'enfant une planche flottante qui l'aidera à garder son équilibre. Mais cette planche flottante ne sera d'aucune utilité si l'enfant ne fait pas d'efforts pour lever ses jambes. Si je ne parviens toujours pas à lui faire prendre une position horizontale, je suggérerai aux parents de lui acheter une petite paire de palmes. Il se peut que les palmes effraient d'abord l'enfant; mais une fois qu'il saura les utiliser, il ne voudra plus les enlever. En augmentant la largeur du pied, les palmes rendent très difficile le mouvement de course en position verticale. L'enfant finira par céder à la pression de l'eau contre ses pieds, qui remonteront d'eux-mêmes derrière lui. En utilisant des palmes, l'enfant nagera beaucoup plus vite, à son grand plaisir.

Septième étape

Le jeune enfant de moins de trois ans poursuit ses leçons de natation en étant accompagné dans l'eau par ses parents. Quant aux enfants plus âgés qui ont atteint cette étape, on les intègre à un groupe de débutants avancés et, dès lors, il n'est plus question que les parents les suivent à l'eau durant le cours. Il arrive parfois qu'un enfant de deux ans manifeste un degré d'adaptation suffisant pour accéder aux leçons sans parents.

Huitième étape

Nous avons à présent une classe d'environ trente enfants suivant un cours de groupe et apprenant la nage du chien sans la présence du père ou de la mère. On place les enfants plus jeunes ou moins braves de façon qu'ils ne nagent que des largeurs de

Une classe d'enfants de 3 à 7 ans suit un cours de débutants; ils y apprendront la nage du chien. Ils portent tous des Swim Buoy et quelques-uns portent des palmes. Avant d'aller dans l'eau, ils font leurs battements de jambes et des mouvements de bras.

piscine, alors que les plus aptes nageront dans le sens de la longueur. Chaque enfant porte son Swim Buoy, et j'encourage ceux qui ont des palmes à les utiliser. Les enfants qui nagent dans le sens de la largeur exigent plus d'attention. Je les aide à traverser, un à la fois, leur montrant à « courir » avec leurs jambes et à « pagayer » avec leurs bras. Ils doivent constamment tenir la tête haute et la bouche fermée. Quant aux braves qui nagent dans le sens de la longueur, je les encourage à sauter à l'eau et à traverser la piscine. Les enfants passent près de moi, un à la fois,

Les enfants traversent la piscine à tour de rôle. Ici, je montre qu'on doit exercer sa traction dans l'eau avec les doigts serrés. Mes assistants surveillent hors de l'eau, et montrent aux enfants comment sortir de la piscine.

et je corrige la position de leur tête et de leurs bras, tout en leur rappelant de bien lever les jambes derrière eux.

Pour cette classe, la leçon dure une heure, durant laquelle les enfants s'entraînent à parcourir des largeurs ou des longueurs de piscine, selon le cas. Les enfants placés dans le sens de la longueur traversent la piscine en nage du chien, sortent à l'autre bout, s'asseoient sur le bord et battent des pieds tout en effectuant, hors de l'eau, des mouvements circulaires avec leurs bras. Pendant ce temps, les enfants qui nagent en largeur descendent à l'eau, un à la fois, atteignent le côté opposé, sortent de l'eau, s'asseoient et font avec leurs jambes et leurs bras les mêmes mouvements que les autres. Quand je m'aperçois qu'un enfant nage ses largeurs avec beaucoup de facilité, je l'envoie rejoindre ceux qui font des longueurs. Il se montre habituellement très heureux de compter désormais parmi les meilleurs. Au bout d'une heure, un enfant nageant en longueur aura effectué environ vingt parcours, dont huit avec tractions des bras et battements des jambes — les autres s'opérant avec les jambes seulement, l'enfant se servant d'une planche flottante. L'enfant doit apprendre à tenir la planche en gardant les bras droits et la tête hors de l'eau, et les jambes doivent battre juste sous la surface.

Neuvième étape

Au début de cette étape, nous retrouvons des enfants qui, une heure par semaine, durant leur leçon, nagent une vingtaine de longueurs de piscine. Il s'agit de débutants qui ont maîtrisé la nage du chien en utilisant leur Swim Buoy. Je dégonfle maintenant le Swim Buoy de tout enfant capable de nager sans peine ses longueurs de piscine. Moins bien soutenu, il doit travailler plus fort pour arriver au même résultat, parce qu'il doit parcourir le même nombre de longueurs avec un Swim Buoy qui ne lui fournit plus que la moitié de son aide.

La classe se prépare à faire des longueurs de battements des jambes. Les enfants doivent placer les mains à la hauteur de la planche aquatique.

Pour un battement efficace, les enfants doivent garder les bras droits et parcourir leurs longueurs avec une certaine vitesse. Nous avons ici une course serrée entre ces quatre enfants.

Dixième étape

ser flotteur de bras

L'enfant exécutant la nage du chien très facilement avec ~~un~~ ~~Swim Buoy~~ à moitié dégonflé, ~~je vais~~ le mettre à l'épreuve pour voir ce qu'il peut faire sans flotteur. ~~S'il porte des palmes, je les~~ lui enlèverai en même temps que le Swim Buoy. Je placerai l'enfant debout sur le bord de la piscine et l'inciterai à sauter aussi loin que possible, à faire surface et à nager une largeur de piscine. L'expérience a lieu dans 8 pieds [2,4 m] d'eau et, puisqu'il ne peut pas toucher le fond, je me tiens prêt à l'aider si nécessaire. Ce n'est pas trop demander à un enfant qui a nagé au moins vingt longueurs au cours des leçons précédentes. S'il réussit une largeur tout seul, je lui décerne son trophée et son insigne de débutant. Il est maintenant qualifié pour entreprendre la nage sur le dos. L'enfant qui n'est pas encore prêt à accéder à la nage sur le dos devra prendre quelques leçons supplémentaires, portant de nouveau son Swim Buoy, jusqu'à ce que je le juge prêt à passer un second examen.

Jacques, 3 ans, exécute la nage du chien sans son Swim Buoy. La prochaine étape consistera à l'exécuter sans ses palmes.

Un écusson et un trophée « Débutant » sont remis à chaque enfant qui réussit l'examen, c'est-à-dire à chaque enfant qui peut nager sans aide.

Denis, 4 ans, en position pour un plongeon.

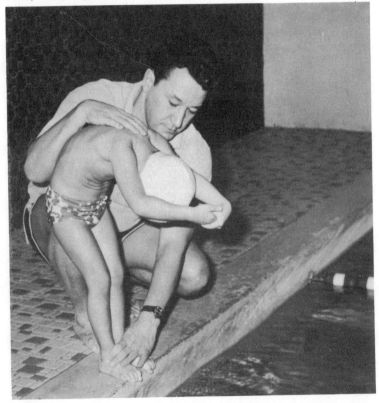

Eric, 3 ans, exécute un plongeon devant Stéphane et Régent junior.

Conseils importants pour l'enseignement des enfants de tout âge

Lorsque les enfants sont promus dans une classe où leurs parents ne peuvent les accompagner, ils reçoivent des leçons de groupes. Pour conserver un bon contrôle de la classe et pour ajouter à la sécurité, je dispose d'un ou deux moniteurs qui suivent et surveillent les enfants pendant leurs évolutions dans la piscine. Ces moniteurs apprennent aussi aux plus jeunes comment sortir de la piscine, distribuent les planches flottantes, s'assurent que les Swim Buoys sont correctement attachés et s'avèrent très utiles pendant les examens, alors que les enfants sont dépourvus de leurs flotteurs.

Chaque leçon de groupe devrait commencer par quelques minutes d'exercices hors de l'eau. Même les enfants de trois ans adorent ces exercices, qui, par ailleurs, permettent aux plus petits de se détendre facilement. Après ces exercices, les enfants s'asseoient sur le bord de la piscine et battent des jambes durant quelques minutes: cela les aide aussi à se détendre, tout en habituant leur corps à la température de l'eau.

Je crois en la thérapie de groupe, non seulement pour les enfants mais aussi pour les adultes. Les leçons de groupe contribuent à abattre les barrières ou les complexes qui peuvent entraver un individu. Un jeune enfant qui entreprend quelque chose de nouveau tirera avantage de l'observation d'un autre enfant qui maîtrise déjà ce qu'il tente d'apprendre. Les enfants apprennent en voyant et en essayant d'imiter ce que d'autres enfants peuvent faire.

Je ne crois pas en la valeur de leçons particulières de natation pour enfants. Même mes enfants handicapés suivent régulièrement des leçons de groupe.

Si un enfant de moins de cinq ans éprouve du mal à s'intégrer au groupe, je le retire de la classe et le dirige vers une autre où le père ou la mère peut l'accompagner à l'eau. Il ne s'agit là que d'une mesure temporaire et je réintégrerai l'enfant dans les leçons de groupe aussitôt que je l'y croirai prêt.

Les enfants aiment les récompenses, et il est bon de prévoir, quand c'est possible, une distribution de bonbons ou de gomme à mâcher après les leçons. Mais ne permettez jamais qu'ils sucent des bonbons ou mâchent de la gomme pendant la leçon.

Un bon moyen d'apprendre à un jeune enfant à garder la bouche fermée dans l'eau est de lui montrer à chantonner en serrant les lèvres quand il nage. Choisissez une chanson simple, que tous connaissent — par exemple, des airs de Noël durant les premières semaines de décembre, etc.

Pour des raisons d'hygiène, je recommande que tous portent un casque de bain. Une fois mouillés, les cheveux libres gênent la vue des nageurs, incommodant particulièrement les débutants.

LA NAGE SUR LE DOS

La nage sur le dos est à peu près la plus facile à enseigner, et la plus facile à apprendre pour un enfant. Les enfants aiment cette nage pour sa simplicité et parce qu'elle leur permet de respirer normalement. A mon école, je commence à enseigner les éléments de la nage sur le dos à des enfants qui n'ont que deux ans. J'enseignerai la même chose à n'importe quel enfant, quel que soit son âge, pourvu qu'il puisse aisément parcourir 20 pieds [6 m] en utilisant la nage du chien, sans l'aide de son Swim Buoy.

Les enfants de deux ans admis à mes leçons de nage sur le dos sont ceux qui ont réussi le cours de survie pour bébés, puis le cours de nage du chien. Ce sont des enfants qui ont suivi des leçons de natation pendant plusieurs mois et se sont complètement habitués à moi et à la piscine; ils sont parvenus à un degré d'adaptation suffisant pour pouvoir faire partie d'une classe avancée sans que les parents les accompagnent dans l'eau. L'enseignement de la nage sur le dos exige beaucoup de contact physique entre le professeur et l'élève. Un enfant de six ans peut apprendre à exécuter une nage sur le dos admirablement détendue en aussi peu que cinq leçons. Plus jeune est l'enfant, plus il demande d'attention.

Ce qui caractérise la nage sur le dos, c'est surtout la facilité à flotter et à respirer.

Première étape

Les jeunes enfants qui possèdent un Swim Buoy auront avantage à le porter en entreprenant la nage sur le dos. L'enfant porte son Swim Buoy sur le ventre, alors que pour la nage du chien il le portait sur le dos. Tenant la tête de l'enfant dans mes mains, je lui montrerai à quel point il est facile de flotter. Il reposera à plat sur l'eau, la tête rejetée en arrière, juste assez pour que ses oreilles soient au niveau de l'eau. En tenant ses pieds ensemble ou légèrement écartés et ses bras étendus de chaque côté, il flotte dans la position de l'« avion ». Tout enfant qui ne porte pas de Swim Buoy et n'arrive pas à se détendre suffisamment pour flotter dans cette position pendant 15 secondes devra s'en procurer un.

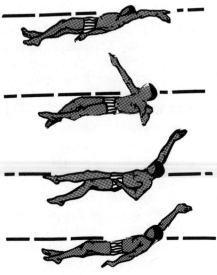

1 — Le bras entre dans l'eau directement derrière l'épaule. Les jambes exécutent un battement alterné vers le haut et vers le bas.

2 — Les mouvements des bras sont aussi alternés. Le bras est tenu raide en sortant de l'eau. Le bras qui est sous l'eau est légèrement plié au moment où il dépasse l'épaule.

3 — Le bras propulseur pousse vers l'arrière et vers le fond de la piscine. Les jambes battent continuellement.

4 — Les bras répètent alternativement le cycle. La tête doit se poser sur l'eau et non pas être tenue élevée.

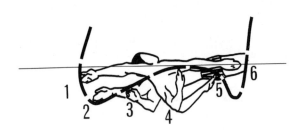

Vue latérale du mouvement de bras.

Luc, 3 ans, en position de l'avion. Je lui demande de disjoindre ses jambes.

Deuxième étape

A partir de la position de l'« avion », j'enseignerai à l'enfant le battement de jambes de la nage sur le dos. Il est plus facile d'enseigner le battement de jambes d'abord, avant le mouvement des bras, parce qu'il s'avère plus simple à assimiler. La tête de l'enfant repose dans mes mains. Il devra garder les yeux ouverts et regarder le plafond, ses bras adoptant une position naturelle et détendue de chaque côté de son corps. Je demanderai à l'en-

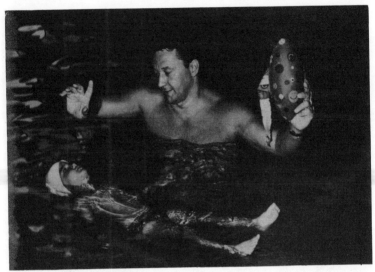
Luc, en position de l'avion.

fant de battre lentement des jambes en un mouvement diagonal. Ses jambes doivent être bien étendues, et ses pieds pointés le plus possible. Dans la nage sur le dos, le battement part des hanches pour se prolonger par les cuisses, les genoux et, enfin, les bouts de pieds. Les genoux doivent rester droits dans le mouvement descendant, et plier légèrement en remontant. C'est ce mouvement remontant qui fournit la force de propulsion. Les genoux doivent toujours rester sous la surface. Une erreur très fréquente chez les enfants qui ont appris seuls la nage sur le dos est de plier le genou et de le sortir de l'eau, s'arrosant le visage à chaque coup. Trop jeunes cependant, les enfants ne peuvent apprécier l'aspect technique de cette nage. C'est pourquoi, plutôt que de les assommer par de longues explications, je leur fournirai une démonstration individuelle, chaque enfant descendant à son tour dans l'eau.

Lorsque l'enfant aura acquis un bon battement de jambes, je tiendrai sa tête dans mes mains et l'accompagnerai en faisant les mêmes battements sur une longueur de piscine. Une fois de l'autre côté, il sortira de la piscine et s'asseoira sur le bord, d'où il me regardera revenir de la même façon avec un autre enfant. Je lui soutiendrai la tête pendant le nombre de leçons qu'il faudra. Tout en effectuant ces longueurs en battant des jambes, il apprend à se détendre et à apprécier la liberté que lui procure sa position dorsale. Les enfants ont très fréquemment le défaut de vouloir tenir la tête haute et hors de l'eau. Ils agissent ainsi parce qu'ils craignent qu'en renversant la tête trop loin vers l'arrière l'eau ne submerge leur visage. En gardant la tête haute, l'enfant aura tendance à abaisser ses pieds ou son derrière; aussi dois-je veiller à soutenir sa tête pour lui aider à adopter une position correcte.

Luc, dans ses premiers essais de nage sur le dos, aidé par Isabelle.

Troisième étape

Après que l'enfant aura parcouru plusieurs longueurs de piscine avec mon aide, je lui ferai comprendre qu'il n'a plus besoin que je tienne sa tête et que je le crois capable de faire une longueur de piscine tout seul. A ce moment, l'enfant devrait pouvoir garder une position de tête correcte pendant son parcours. Je lui montrerai comment prendre son élan au bord de la piscine. La position de départ consiste à tenir à deux mains le rebord de la piscine, les genoux pliés et les pieds à plat contre la paroi. La tête est renversée dans l'eau, les yeux ouverts et regardant le plafond. L'enfant prendra son élan et se mettra à battre posément des jambes. Je l'accompagnerai, me plaçant derrière lui, de façon à

Mon fils Régent s'exerce au battement de jambes de la nage sur le dos. Pour qu'il puisse se concentrer sur un battement vigoureux, je lui place une planche aquatique derrière la tête.

pouvoir corriger sur-le-champ toute mauvaise position de sa tête. Si l'enfant tend à trop lever la tête ou à la rejeter trop en arrière, je la replacerai correctement, attendrai qu'il se détende puis le laisserai continuer seul.

A présent que je lui ai démontré qu'il peut réussir tout seul, je peux placer une planche flottante sous sa tête. La planche devra être légèrement inclinée. A présent, l'enfant se retient à la planche et peut effectuer le même battement de nage sur le dos, mais un peu plus vite. La planche tenue derrière sa tête crée une certaine résistance dans l'eau, de sorte que l'enfant est obligé de battre des jambes plus fort et plus vite pour avancer. Je choisis ce moment pour corriger tout pliage excessif des genoux, ou du corps au niveau des hanches. Pour ce faire, je sortirai de l'eau et suivrai l'enfant d'un bout à l'autre de la piscine. J'utilise une perche, que j'abaisse sur ses genoux chaque fois que je les vois dépasser la surface. Cela lui rappelle qu'il plie les genoux. Si l'enfant plie ou abaisse ses hanches de façon telle qu'il se retrouve en position assise, je glisserai ma perche sous son derrière et le relèverai, lui rappelant qu'il adopte une position trop basse. Ses orteils doivent pointer vers l'intérieur, tandis que ses jambes demeureront bien tendues. Parfois, un enfant aux chevilles peu flexibles tiendra ses pieds rigides, les orteils sortant de l'eau et pointant vers le plafond. Le seul moyen de corriger ce défaut est de faire porter des palmes à l'enfant. S'il s'agit d'un enfant qui persiste à effectuer ses battements en tenant les jambes largement écartées, j'y remédierai en les maintenant ensemble au moyen d'une bande élastique.

Quatrième étape

Au cours des trois premières étapes, l'enfant a appris à flotter dans la bonne position, à garder la tête dans l'eau et à battre des jambes correctement. Maintenant qu'il se trouve à l'aise sur le dos, c'est le moment de lui apprendre le mouvement des bras et la façon de le coordonner avec le battement des jambes.

Lyne apprend les mouvements des bras de la nage sur le dos. Elle s'applique tellement à cet exercice qu'elle ne pense pas à ses jambes et plie trop les genoux.

Il importe d'aller dans l'eau avec l'enfant pour lui enseigner les bases du mouvement des bras. Comme pour le battement des jambes, je commencerai en faisant flotter l'enfant dans la position de l'« avion ». Je lui demanderai de ne pas se servir de ses jambes pendant que je lui montre et explique le mouvement des bras.

Il importe d'aller dans l'eau avec l'enfant pour lui montrer les bases du mouvement des bras de la nage sur le dos. De haut en bas, des enfants de trois ans: Chantal, Sophie et Marie-Claude.

La poussée des bras est alternative: pendant qu'un bras pousse sous l'eau, l'autre est déjà prêt à y entrer. Les doigts doivent rester fermés pour exercer une poussée plus efficace. Pour empêcher l'enfant de plier les coudes, je lui tiendrai les bras au niveau des coudes, le forçant à les garder droits. L'enfant flottant sur place, je manœuvrerai ses bras pour lui montrer comment exercer une poussée dans l'eau et comment y replonger les bras. Il faut que l'enfant apprenne à amener ses bras aussi loin que possible derrière sa tête. Un enfant de trois ans éprouvera certaines difficultés à sortir ses bras et à les rentrer derrière sa tête, parce que les muscles de ses épaules n'ont pas encore atteint toute la souplesse voulue. Autrement dit, aussi longtemps que vous bougez ses bras à sa place, vous pouvez faire en sorte qu'ils rentrent correctement; mais dès que vous le laissez mouvoir ses bras de lui-même, il les rentre dans l'eau au niveau des épaules. Dans le cas de ces jeunes enfants, il importe de corriger cette tendance en répétant souvent le mouvement avec lui. Il arrivera parfois qu'un enfant de quatre ans présente le même problème; mais vers l'âge de cinq ans, tout enfant devrait présenter une rentrée correcte du bras dans l'eau, derrière la tête.

Soutenant sa tête dans mes mains, je lui ferai nager une longueur de piscine. Je me concentre alors sur la façon dont il sort ses bras de l'eau. Les enfants font souvent l'erreur de plier les coudes et de passer les bras au-dessus de leur visage pour essayer de les rentrer dans l'eau derrière leur tête. Le bras, en passant, arrose le visage et l'enfant réagit immédiatement en levant la tête, perdant ainsi la bonne position. Un bon moyen de lui faire comprendre son erreur serait de le faire flotter de nouveau, pendant que vous lui tenez les bras et refaites exactement son mouvement et lui mouillez le visage; puis, sans attendre, vous tenez ses bras bien droits, les sortez correctement le long de son corps et les rentrez derrière ses épaules. Il devrait aisément saisir la différence entre le faux mouvement et le mouvement correct. Mais s'il persiste à effectuer ce faux mouvement, je le ferai asseoir sur le bord de la piscine et regarder pendant que je nage à sa façon. J'exagérerai les mouvements et ferai jaillir beaucoup d'eau en sortant mes bras, avalant de l'eau et balançant ma tête d'avant en arrière. Puis je m'arrêterai et m'essuierai le visage. Je nagerai alors une longueur de piscine, correctement, lentement, tandis qu'il observe mes bras. M'arrêtant en face de lui, je lui montrerai que je puis nager sur le dos sans mouiller mon visage et que lui aussi pourra y parvenir en sortant ses bras sur les côtés et en les rentrant derrière les épaules.

Cinquième étape

Parvenu à ce stade, l'enfant peut effectuer correctement les battements de jambes et les tractions de bras de la nage sur le dos. Il parvient à nager assez facilement quelques longueurs de piscine, avec l'aide de son Swim Buoy et, probablement, de ses palmes.

Au fur et à mesure qu'il enregistrera des progrès, je dégonflerai son Swim Buoy, un peu chaque semaine, jusqu'à ce qu'il soit en mesure de nager sur le dos sans flotteur. Le port de palmes facilite énormément la tâche aux jeunes enfants. Les palmes lui permettent de nager plus rapidement et aident ses jambes à flotter. Un enfant de trois ans n'éprouvera aucune difficulté à parcourir plusieurs longueurs de piscine en nageant sur le dos, muni de ses palmes seulement et sans Swim Buoy; c'est pourquoi je lui retire ses palmes dès qu'il a acquis un bon battement de jambes, pour ensuite réduire graduellement la quantité d'air dans son Swim Buoy.

Sixième étape

Cette étape est consacrée au perfectionnement. Autrement dit, chaque enfant de la classe peut à présent nager sur le dos — les plus forts sans Swim Buoy, les autres avec un Swim Buoy presque entièrement dégonflé. Je ne les accompagnerai plus à l'eau, parce qu'à ce stade je préfère corriger leurs défauts à partir du bord de la piscine. Pendant qu'un enfant nage sa longueur de piscine, je le suis et, à l'aide de ma perche, corrige un genou plié, un coude plié, une tête trop haute, une position trop basse du corps, attirant son attention sur chacune de ses erreurs. Il parcourra maintenant ses longueurs de piscine, l'une après l'autre, jusqu'à ce qu'il puisse en réussir au moins vingt à chaque leçon.

Septième étape

Voici l'étape finale du cours de nage sur le dos. Les enfants sont maintenant prêts à passer un examen. Chaque enfant qui réussit reçoit un écusson et une médaille attestant son aptitude à nager sur le dos.

Prenant chaque enfant individuellement, je lui demanderai de nager sans interruption trois longueurs de piscine. J'observerai son battement de jambes, qui devrait s'effectuer juste sous la surface de l'eau: c'est-à-dire à une profondeur de 12 pouces [28 cm] pour

Denis, 3 ans, nage sur le dos à la perfection. Le manque de flexibilité des muscles de l'épaule empêche les jeunes enfants de sortir les bras directement en arrière de la tête.

les plus jeunes et de 14 pouces [33 cm] pour les plus vieux. Il devrait également produire six battements pour chaque mouvement de bras complet.

Sa tête sera renversée dans l'eau de façon détendue et il respirera à peu près normalement. Ses bras sortiront alternativement de l'eau. Si le nageur a pris l'habitude de plier le coude en poussant sous l'eau, je jugerai le mouvement acceptable. Il est naturel que le corps accuse un léger roulement.

Pour l'attribution des écussons et des médailles, il importe d'observer chaque enfant individuellement. De cette façon, je pourrai exiger des enfants de huit ans et plus une quasi-perfection et 50 mètres consécutifs de nage sur le dos. J'exigerai le même fini des enfants de cinq à huit ans, mais sur un parcours de 25 mètres seulement. Quant aux enfants de deux à quatre ans, ils devront nager sur le dos sur 25 mètres consécutifs, mais je tiendrai compte du manque de coordination des jeunes enfants, de leur force physique insuffisante et du peu de souplesse des muscles de leurs épaules, qui leur interdit une rentrée correcte du bras dans l'eau. A tous ces élèves, j'accorderai l'écusson et la médaille de nage sur le dos.

Pour se mériter l'écusson et la médaille, ces élèves doivent s'exécuter sans palmes ni Swim Buoy.

Tout enfant qui peut nager la distance exigée mais dont les mouvements ou la position demeurent imparfaits recevra l'écusson seulement. Cela constitue un encouragement appréciable, puisqu'il sait que la médaille n'est pas loin.

Un écusson et une médaille sont remis à chaque enfant qui réussit à passer l'examen de natation sur le dos.

Un enfant de 5 ans n'a aucun problème pour sortir les bras directement en arrière de la tête.

LE STYLE LIBRE (CRAWL)

La maîtrise parfaite du style libre est le rêve de tout non-nageur. Les enfants aussi bien que les adultes nourrissent le même désir de devenir de puissants nageurs de style libre. Il y a à cela plusieurs bonnes raisons.

Le style libre constitue la nage la plus rapide. On le nage en gardant un contrôle complet de son système respiratoire, et il n'est pas rare qu'après beaucoup d'entraînement et de nombreuses années de pratique, on puisse nager le style libre sans arrêt pendant des périodes allant jusqu'à trente-cinq heures. Aux Jeux olympiques, le 1 500 mètres style libre est l'épreuve favorite de tous, même des spectateurs. A l'époque où je pratiquais la natation amateur, le style libre était une de mes nages les plus puissantes, et plusieurs médailles me rappellent aujourd'hui les victoires que j'y ai remportées. Dans mes épreuves de longs parcours, j'ai nagé dans des lacs et dans les océans, aux quatre coins du monde, utilisant toujours le style libre du début à la fin.

Un jeune enfant peut éprouver beaucoup de difficulté à apprendre le style libre. Mes plus jeunes élèves en style libre sont âgés de trois ans, et il s'agit là d'enfants ayant réussi un cours de survie pour bébés, puis appris la nage sur le dos avant de s'attaquer au style libre. L'enfant doit être complètement détendu, non seulement dans l'eau mais aussi dans une atmosphère d'étude en groupe, et il doit aimer à nager suffisamment pour avoir envie de maîtriser un nouveau style. L'enfant d'âge scolaire qui est assez âgé pour comprendre le fonctionnement du style libre et qui a suivi avec succès un cours de nage sur le dos ne devrait pas rencontrer d'obstacles majeurs.

Première étape

La première étape d'un cours de style libre pourrait débuter par l'enseignement du battement de jambes ou de la traction des bras, au choix. Personnellement, je commence avec le battement

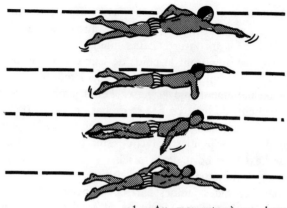

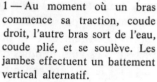

1 — Au moment où un bras commence sa traction, coude droit, l'autre bras sort de l'eau, coude plié, et se soulève. Les jambes effectuent un battement vertical alternatif.

2 — Le bras effectuant sa traction sous l'eau atteint son effet maximum en passant sous l'épaule et la poitrine. Les bras sont étendus dans l'eau directement devant le nez.

3 — Comme le mouvement des bras s'achève, le nageur commence à tourner la tête de côté pour respirer.

4 — Le nageur inspire par la bouche, la tête tournée de côté et le coude plié.

En style libre, le bras ne doit jamais dépasser la ligne médiane du corps.

de jambes parce qu'il est le plus facile des deux. Les enfants s'assoiront sur le bord de la piscine, aussi près de l'eau qu'il sera possible sans inconfort. Leurs mains, à plat sur le plancher derrière eux, soutiendront le poids de leur corps. Je m'installerai près d'eux, sur le bord de la piscine, et leur montrerai exactement le genre de battement que je veux. Leurs jambes devront battre alternativement, de haut en bas et de bas en haut. Ils tourneront légèrement les orteils vers l'intérieur et pointeront les pieds autant que possible. Les jambes doivent rester droites. L'enfant étant assis sur l'extrême bord de la piscine et battant alternativement des jambes — toujours tenues bien droites —, il se rendra compte que le battement des jambes part des hanches. Après seulement une minute de battement vigoureux, il sentira la tension que subissent les muscles de son dos et de son ventre. Je fais durer cette séance de battement cinq minutes et la répète au début de chaque leçon. Les cinq minutes écoulées, l'enfant descendra dans l'eau, où je lui ferai faire son premier exercice de respiration.

Lynn et Régent, assis sur le bord de la piscine, pratiquent le battement du style libre. Le battement part des hanches et les jambes doivent rester droites.

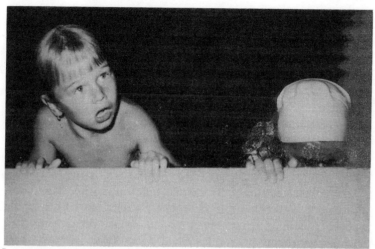

Les exercices de respiration commencent au bord de la piscine. Ici, Régent prend une grande inspiration.

Dès que son inspiration est complétée, il commence à expirer en immergeant lentement la tête dans l'eau; il ne cessera d'expirer qu'une fois la tête sortie de l'eau.

Tenant le rebord de la piscine de ses deux mains rapprochées, les coudes un peu pliés, l'enfant prendra une grande inspiration et, immédiatement, commencera à expirer. En expirant, il immergera lentement sa tête dans l'eau et ne cessera d'expirer jusqu'au moment où elle en sera ressortie. Si l'enfant ressort la tête en toussant et en suffoquant, je lui expliquerai qu'à aucun moment il ne doit cesser d'expirer sous l'eau. L'expiration doit se faire à la fois par le nez et par la bouche. Je lui ferai comprendre qu'il a avalé de l'eau parce qu'il a cessé d'expirer et s'est mis à inspirer. La classe répétera cet exercice (inspirer hors de l'eau et expirer dans l'eau) au moins vingt fois.

Immédiatement après les exercices de respiration dans l'eau, j'enseignerai aux enfants le deuxième exercice de battement de jambes. Tenant le rebord de la piscine de ses deux mains rapprochées, les coudes pliés et les épaules sous l'eau, la tête hors de l'eau et regardant ses mains, l'enfant élèvera ses pieds jusqu'à la surface. Il commencera à battre des jambes verticalement. Il gardera les chevilles détendues et les orteils pointés légèrement vers l'intérieur; les genoux resteront droits. La profondeur des pieds de l'enfant variera selon son âge. Il faudrait éviter d'exagérer le battement. Je ferai durer cet exercice cinq minutes.

Il est très important de prévoir une période d'au moins dix minutes pour les exercices de battement, au début de chaque leçon de style libre. Autrement dit, cinq minutes de battement assis sur le bord de la piscine, et cinq minutes de battement dans l'eau. De plus, il est bon de faire exécuter vingt fois le mouvement de respiration dans l'eau, entre chaque séance de battement.

Deuxième étape

Pour la seconde étape du cours de style libre, je remettrai à chaque enfant une planche flottante. La façon correcte de tenir la planche flottante pour s'entraîner au battement du style libre consiste à placer une main de chaque côté, au sommet de la planche. Les bras doivent rester droits et étendus en avant, la planche flottant presque à plat sur l'eau.

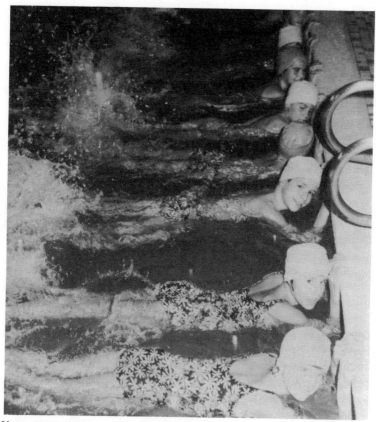

Un groupe d'enfants pratiquent dans l'eau le battement de jambes du style libre. Remarquez que les mains sont unies, les coudes pliés et les jambes droites. Le battement part de la hanche.

A présent, en s'aidant de sa planche, l'enfant effectuera son battement sur quelques longueurs de piscine. S'il exécute le mouvement correctement, il avancera sans difficulté. S'il plie les genoux pendant son battement, il ne fera que frapper l'eau et n'avancera pas du tout. Cette flexion coupe son mouvement, qui ne part plus que des genoux. S'il effectue son battement en tenant ses jambes droites, le mouvement partira des hanches. En gardant les jambes droites, l'enfant bénéficie de la meilleure posture corporelle possible, ce qui lui sera d'un grand secours lorsqu'il apprendra le mouvement des bras. A mesure que le cours avance, le battement de jambes acquiert plus de force, et bientôt l'enfant pourra parcourir aisément plusieurs longueurs consécutives de piscine.

Troisième étape

Maintenant que l'enfant possède un bon battement de jambes pour le style libre, je peux lui apprendre le mouvement des bras. J'ai découvert que les enfants assimilent plus facilement le mouvement des bras en exécutant des exercices préparatoires hors de l'eau. J'alignerai donc la classe face aux murs. Je montrerai à chaque enfant, individuellement, ce qu'il devra faire une fois dans l'eau.

L'enfant se pliera vers l'avant et plaquera ses mains sur le mur, au niveau de ses épaules, de sorte qu'il regardera vers le plancher. Prenant une main à la fois, je lui ferai abaisser le bras sans le plier, toucher sa jambe, puis remonter sa main vers son corps. A mesure que sa main se rapproche et dépasse le niveau de la taille, l'enfant pliera le coude. Quand le coude sera parvenu à son plus haut point, je ramènerai sa main au mur. Je lui ferai répéter ce mouvement avec l'autre bras puis poursuivrai en alternant. Pendant qu'il apprend à mouvoir ses bras, sa tête reste immobile et il continue de regarder le plancher.

Quatrième étape

A présent, je lui apprendrai comment tourner la tête pour inspirer et expirer en coordination avec le mouvement de ses bras. Nous supposerons que l'enfant préfère respirer à droite. Je prendrai sa main droite et l'éloignerai du mur jusqu'à ce qu'elle touche sa jambe, puis la ferai remonter le long de son corps, le coude se pliant de plus en plus. A mesure que sa main remontera, je tournerai sa tête vers la droite et lui ferai prendre une grande inspiration. Puis, pendant que sa main retournera au mur, je lui

Les enfants assimilent plus facilement le mouvement des bras en exécutant des exercices préparatoires hors de l'eau. Je corrige ici la position du bras de Marie-Claude en indiquant que le coude doit être pointé vers le plafond et la main vers le plancher, comme le démontre Daniel, le jeune garçon qui est en avant d'elle.

ramènerai la tête dans sa position première, la face vers le plancher, et lui demanderai d'expirer. Tandis qu'il expire vers le plancher, sa main gauche a quitté le mur et boucle son cycle.

Il importe que l'enfant comprenne bien ce qu'il fait. Demandez-lui de faire comme s'il avait de l'eau jusqu'aux épaules. Lorsqu'il tourne la tête vers la droite pour respirer, il faut lui expliquer que sa bouche va sortir de l'eau et qu'il devra en profiter pour

Les enfants plus âgés pourront exécuter cet exercice dans la partie peu profonde de la piscine.

inspirer. Quand il tourne la tête pour ramener son visage vers le plancher, il doit commencer à expirer immédiatement, pendant que le bras gauche exécute son mouvement.

Restez à côté de l'enfant pendant qu'il exécute ce difficile exercice de coordination. De temps en temps, au moment où il tourne sa tête pour expirer pendant le mouvement du bras gauche, placez votre main juste sous son visage. Si la technique est exécutée correctement, vous devriez sentir sur votre main l'air qu'il expire. Si vous ne sentez rien, ou presque rien, avertissez-le qu'il ne souffle pas suffisamment. Cet exercice hors de l'eau devrait durer au moins dix minutes. Les coudes devraient toujours pointer vers le plafond. Les enfants plus âgés pourront exécuter cet exercice dans la piscine, face au bord et ayant de l'eau jusqu'à la taille.

Marie-Claude, 4 ans, pratique la coordination des bras et des jambes et la respiration en se servant de la planche aquatique. J'appelle cet exercice « le rattrapage ».

Cinquième étape

A ce stade, je remettrai une planche flottante à chaque enfant. L'enfant s'asseoira sur le rebord intérieur de la piscine, tenant le bout de la planche entre ses doigts. Il prendra son élan et s'éloignera du bord de la piscine en glissant sur le ventre, puis il commencera à battre des jambes. A présent il lui faudra, pour la première fois, exécuter dans l'eau l'exercice de coordination entre le mouvement des bras et la respiration. Ses premières tentatives s'avèreront probablement très confuses; mais vu que chaque enfant s'exécute à son tour, il est bon de choisir les meilleurs de la classe pour faire la démonstration du mouvement devant les autres.

Au moment où l'enfant s'éloigne du bord et bat des pieds, il a le visage dans l'eau. Sa main droite lâchera la planche et effectuera sa traction sous l'eau. Son coude droit est hors de l'eau pendant que la main continue, sous l'eau, à pousser vers l'arrière. Le coude doit sortir de l'eau le premier et s'élancer à la fois vers le haut et vers l'avant, traînant en quelque sorte la main à sa suite. Au moment où la main, dans son mouvement vers l'avant, passe au niveau de l'épaule, elle devrait se trouver alignée avec le coude. Tandis que la main droite revient saisir la planche, la main gauche s'éloigne et exécute sa traction, l'enfant expirant dans l'eau pendant son mouvement.

Cela représente ce qu'il y a de plus difficile à apprendre dans le style libre. Aussi faudra-t-il beaucoup d'entraînement pour bien maîtriser ces mouvements, surtout de la part d'enfants. L'enfant doit penser à beaucoup de choses à la fois, parce qu'il s'agit pour lui de coordonner tout son corps pour obtenir une nage souple et sans heurts. Ses jambes doivent rester droites et ne jamais cesser de battre. Il doit inspirer en tournant la tête, pendant le mouvement du bras droit, et expirer pendant celui du bras gauche. Il doit constamment garder les yeux ouverts. Avec de l'entraînement, il parviendra assez vite à faire tout cela correctement.

Il est bon d'inciter les enfants à porter leur Swim Buoy pendant les premières leçons, ou aussi longtemps qu'il le faudra. Le Swim Buoy soutiendra l'enfant et lui permettra de nager plus lentement et de penser à ce qu'il fait. La planche qu'il tient devant lui joue un rôle de stabilisateur; elle se révèle très utile, principalement en ralentissant le mouvement des bras de l'enfant, puisque l'une de ses mains doit constamment la tenir.

Sixième étape

Au début de la sixième étape, l'enfant maîtrise sa coordination et sa respiration. L'entraînement avec la planche lui est devenu très facile et il se sent tout à fait détendu.

Je demanderai maintenant à l'enfant de parcourir une longueur de piscine, sans planche. S'il porte un Swim Buoy, il parviendra à agir à peu près de la même façon qu'avec sa planche. S'il ne porte pas de Swim Buoy et n'est pas particulièrement fort, il perdra sa position horizontale. Ses jambes couleront trop profondément sous la surface, créant une résistance l'empêchant de sortir facilement les bras de l'eau.

Il enregistre peu ou pas de succès, quelle que soit la puissance de son battement de jambes et des tractions de ses bras, à cause de la trop forte résistance provoquée par la position anormale et quasi verticale de son corps. Le nageur ressent vite de l'épuisement et éprouve du découragement, parce que ses efforts demeurent stériles. Dans un tel cas, je recommanderai que l'enfant porte un Swim Buoy, ou je lui rendrai sa planche pour quelques leçons.

Je ferai alterner les parcours de longueurs: autrement dit, l'enfant fera une longueur en utilisant seulement les battements, une deuxième en style libre, une troisième en utilisant seulement les battements, une quatrième en syle libre, etc. Pendant ce temps, je soulignerai et corrigerai leurs défauts. L'usage de palmes aidera énormément l'enfant.

Robert, 5 ans, déjà un expert nageur de style libre avec une coordination excellente.

Septième étape

Le secret d'un bon crawl est la parfaite position du corps. Il faut porter beaucoup d'attention au battement de jambes de l'enfant, vu que le maintien de sa position horizontale en dépend. En effet, le battement empêche la partie inférieure du corps de couler: il n'est pas destiné à propulser le corps vers l'avant, mais à servir de stabilisateur et à maintenir le nageur en position horizontale.

Après avoir concentré la plupart de ses efforts sur son battement de jambes, l'enfant se verra bientôt capable de s'attacher davantage à parfaire le mouvement de ses bras et sa respiration. Ses progrès seront lents. Il lui faudra réduire le roulement latéral de son corps. Désormais, il n'aura plus besoin du soutien de la planche flottante et, d'une leçon à l'autre, on pourra dégonfler graduellement son Swim Buoy.

Régent junior a maîtrisé sept styles de nage avant cinq ans. Cette photo prise à quatre ans nous donne un exemple de son style libre.

Un écusson et une médaille de style libre sont remis à chaque enfant qui réussit l'examen.

Huitième étape

Voici l'enfant parvenu à la dernière étape de son cours de style libre. Il ne porte plus son Swim Buoy et il est maintenant prêt à passer un examen. Sa réussite lui vaudra un écusson et une médaille de nageur de style libre.

Je demanderai à chaque enfant, individuellement, de nager trois longueurs consécutives de piscine. J'observerai son battement de jambes, qui devra s'effectuer sans plier les genoux et juste sous la surface. La profondeur du battement devrait être de 12 pouces [28 cm], mais elle pourra varier légèrement selon l'âge de l'enfant. Il devrait effectuer quatre battements pendant un mouvement de bras complet.

Ses jambes, ses bras et sa tête présenteront coordination et simultanéité dans leurs mouvements. L'enfant respirera d'un côté seulement. Pour respirer, il devrait tourner la tête et non pas la lever. Ses bras devraient être pliés lorsqu'ils sortent de l'eau.

Il importe d'observer chaque enfant individuellement avant d'accorder écussons et médailles. J'exigerai de mes enfants de huit ans et plus une quasi-perfection et un parcours de 50 mètres consécutifs en style libre. Les enfants de cinq à sept ans devront parcourir en style libre, et presque à la perfection, 25 mètres consécutifs. Quant à ceux de trois et quatre ans, ils ne devront couvrir qu'une distance de 15 mètres en style libre.

Tout enfant qui peut parcourir la distance requise, mais dont la nage présente encore certains défauts, recevra seulement l'écusson. Sachant la médaille toute proche, il redoublera d'efforts.

LA BRASSE

Pour un enfant, la brasse est une nage très intéressante à apprendre. Dans plusieurs cas, les mouvements viennent naturellement, grâce aux mouvements simultanés des bras et des jambes. Il ne s'agit pas d'une nage aussi rapide que le style libre, mais elle ne fatigue pas l'enfant.

Les enfants associent les mouvements de la brasse à ceux de la grenouille. Il m'est souvent arrivé de mettre une grenouille dans la piscine et de laisser les enfants la regarder nager. Les enfants trouvent cette expérience excitante et, de plus, elle constitue une excellente illustration de ce qu'ils pourront réaliser après avoir maîtrisé la technique de la brasse.

Evénement important dans l'histoire de la brasse, le premier homme à traverser la Manche à la nage, le capitaine Matthew Webb, a accompli son exploit en nageant la brasse pendant 22 heures.

En Angleterre et en Europe, on enseigne généralement la brasse aux enfants tout de suite après la nage du chien. Personnellement, je crois que l'enfant trouvera plus facile d'apprendre la nage sur le dos après la nage du chien, parce qu'il n'y est pas question de techniques respiratoires et qu'elle s'avère reposante. Après la nage sur le dos, j'orienterai certains enfants vers le style libre, et d'autres vers la brasse. Bien qu'il me semble préférable de donner la priorité au style libre, je conseillerai d'abord la brasse aux élèves qui en ont déjà appris certains mouvements par eux-mêmes.

Première étape

On ne devrait jamais enseigner la brasse à des débutants. Autrement dit, tous les enfants de la classe ont suivi, auparavant, des leçons de natation: ils ont déjà appris la nage du chien, la nage sur le dos et, probablement, le style libre. Il y règne une atmosphère de détente et les enfants brûlent d'apprendre à nager comme une grenouille.

Après les exercices préliminaires de réchauffement, je ferai asseoir les enfants sur le plancher, tout autour de la piscine. Je leur montrerai, hors de l'eau, le mouvement de jambes de la brasse. Vu que le mouvement de jambes de la brasse implique la flexion des genoux, je ne puis le leur apprendre en les faisant coucher à plat ventre sur le plancher. C'est donc en position assise qu'ils devront apprendre le mouvement de jambes. Je leur expliquerai clairement qu'une fois dans l'eau le mouvement se fera exactement de la même façon, sauf qu'ils évolueront en position ventrale.

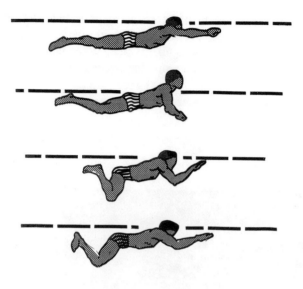

1 — La nage commence avec le nageur étendu droit dans l'eau.

2 — Au moment où les coudes se plient pour que les mains poussent dans l'eau, les genoux commencent à plier et la tête émerge pour respirer.

3 — Le visage replonge dans l'eau, les genoux sont pliés et les talons sont près du derrière.

4 — La propulsion vers l'avant provient du rapprochement des jambes. Les bras commencent à raidir quand le nageur vient en position de glissement.

Première position: L'enfant est assis sur le plancher, le corps légèrement incliné vers l'arrière et portant sur les bras, mains à plat sur le plancher derrière lui. Il tiendra ses jambes droites et bien étendues, l'une contre l'autre, les orteils pointés.

Les enfants sont assis par terre, les mains sur le plancher derrière eux. Les jambes sont droites, l'une contre l'autre, les orteils pointés.

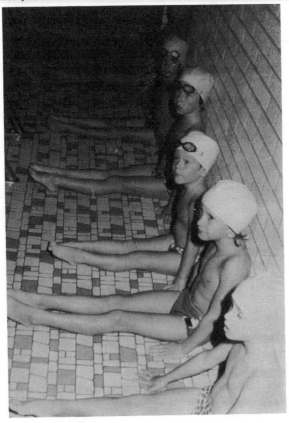

Deuxième position: L'enfant joint les talons et plie les genoux en glissant ses pieds vers son corps. Les genoux seront pliés, les talons joints et les orteils, écartés, pointeront vers l'extérieur. Les pieds resteront à plat sur le plancher.

Les enfants joignent les talons et plient les genoux en glissant les pieds vers leur corps.

Troisième position: L'enfant sépare les jambes et les étend sur le plancher. Les pieds pointent vers l'extérieur.

Quatrième position: L'enfant referme les jambes et revient à la première position.

J'enseignerai ce mouvement à chaque enfant, individuellement. Puis, je compterai à haute voix et toute la classe devra prendre les positions en suivant le rythme. J'accentuerai plus fortement le *trois* et le *quatre,* de sorte que l'enfant puisse se rendre compte que, dans l'eau, ce seront la troisième et la quatrième position qui assureront sa propulsion.

Cet exercice hors de l'eau s'étendra sur une période d'au moins dix minutes, pour que l'enfant se familiarise le plus possible avec chaque position. Il est bon de faire compter les enfants à haute voix, à tour de rôle. Cela leur facilite la concentration. Il importe aussi de leur dire de répéter ce mouvement à la maison.

Deuxième étape

Après avoir appris, hors de l'eau, les quatre positions de jambes, l'enfant devra maintenant effectuer ses mouvements dans l'eau. Il tiendra le rebord de la piscine, les mains rapprochées, les coudes légèrement pliés et les épaules dans l'eau.

L'enfant élèvera ses pieds jusqu'à la surface. Tenant les pieds ensemble, il prend la *première* position. Au compte de *deux,* il pointera les orteils vers l'extérieur, collera les talons et les ramènera près du derrière. Ses genoux seront pliés et écartés. Au compte de *trois,* l'enfant poussera ses pieds vers l'arrière, tout en tendant ses hanches. Il gardera les pieds écartés, les jambes droites et les orteils pointés. Au compte de *quatre,* l'enfant ramènera ses pieds ensemble, jambes droites, avec une forte poussée. Une fois que chaque enfant aura exécuté, individuellement, son mouvement de jambes dans l'eau, toute la classe reprendra l'exercice pendant que je compterai tout haut en mesure. Les positions trois et quatre doivent s'effectuer en un seul mouvement continu.

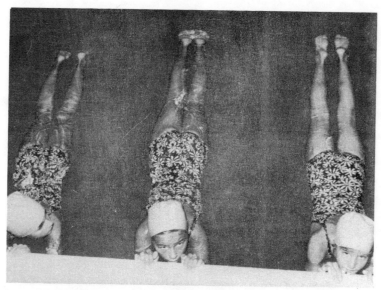

Les enfants sont dans l'eau, les jambes réunies en première position.

Les enfants plient leurs genoux en deuxième position et ramènent leurs talons près du derrière. Les orteils sont pointés vers l'extérieur.

Les enfants poussent leurs pieds vers l'arrière en tendant leurs hanches; les orteils sont pointés en troisième position.

Troisième étape

Je remettrai à présent une planche flottante à chaque enfant. Ils tenteront de parcourir une longueur de piscine en n'utilisant que les jambes, qui exécuteront le mouvement de la brasse. Les bras bien droits, l'enfant tiendra le bord supérieur de la planche. Celle-ci soutiendra la partie supérieure de son corps, lui permettant de se concentrer sur le mouvement de ses jambes.

Il éprouvera de la difficulté à avancer rapidement. Cela peut provenir d'une position trop basse des jambes dans l'eau, ou d'une tendance à sortir ses hanches de l'eau en pliant les genoux. Le mouvement de ses jambes doit être continuel et simultané. Il faut bien faire comprendre à l'enfant que ce sont les positions trois et quatre (où les jambes se séparent et se rapprochent) qui propulsent son corps quand il nage la brasse.

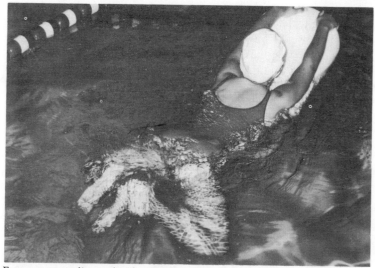

En se servant d'une planche, l'enfant pratique le mouvement des jambes, première position; les jambes sont réunies. Nous voyons ici la seconde position.

La troisième position trouve l'enfant avec les jambes écartées, suivie immédiatement du quatrième mouvement où l'enfant ferme les jambes. Ce sont les positions 3 et 4 qui propulsent son corps.

Le port d'un Swim Buoy aidera l'enfant à élever la partie inférieure de son corps. Pendant leur mouvement, les pieds ne devraient jamais sortir de l'eau. L'enfant devra répéter plusieurs fois cet exercice avant de pouvoir exécuter correctement ce mouvement.

Quatrième étape

Au cours de cette étape, j'entreprendrai l'enseignement du mouvement des bras. Hors de l'eau, l'enfant se tiendra debout, face au mur, juste assez loin pour pouvoir se pencher en avant et toucher le mur de ses mains. J'enseignerai à l'enfant les quatre positions du mouvement des bras de la brasse.

Première position: L'enfant se tient face au mur, les bras étendus, droits, à la hauteur des épaules. Il regardera vers le plancher, la tête entre les bras.

Deuxième position: L'enfant plie les coudes. Les doigts rapprochés et pointant vers le bas, il ramène les mains vers l'arrière, jusqu'à ce qu'elles viennent s'aligner avec les coudes. Il lève la tête pour inspirer.

Troisième position: L'enfant rapproche les coudes de son corps. Les coudes sont pliés et les doigts, rapprochés, pointés vers l'avant.

Quatrième position: L'enfant jette les bras vers l'avant pour toucher le mur, revenant à la première position. Il abaissera la tête entre ses bras pour expirer.

Il importe de faire comprendre à l'enfant qu'il doit coordonner les quatre positions des bras avec celles des jambes.

Cinquième étape

L'enfant exécutera maintenant le mouvement des bras dans l'eau. Il se tiendra debout, jambes écartées, au bout le moins profond de la piscine. Pour conserver plus facilement son équilibre, il placera un pied un peu en avant. L'enfant se pliera vers

Première position pour le mouvement des bras: l'enfant est debout dans l'eau, plié vers l'avant, les bras étendus droits devant lui, la tête entre les bras, le visage dans l'eau pendant l'expiration.

Deuxième position: l'enfant plie les coudes, tout en dirigeant les mains vers l'arrière. La tête sort de l'eau pour inspirer.

l'avant, à partir de la taille, prenant la première position où il étend les bras, droits, devant lui, inclinant la tête entre les bras, le visage dans l'eau pendant qu'il expire.

En deuxième position, il pliera les coudes tout en ramenant les mains vers l'arrière. Il sortira la tête de l'eau pour inspirer, pendant que les coudes se rapprocheront du corps (troisième position), et expirera dans l'eau pendant que les bras se tendront en avant, bouclant le cycle du mouvement circulaire des bras.

Cet exercice dans l'eau devrait normalement durer au moins dix minutes, où l'on mettra l'accent sur l'importance de la technique respiratoire dans la brasse. Les enfants de petite taille, incapables d'exécuter cet exercice debout dans l'eau, le poursuivront hors de la piscine, face au mur, tandis que les plus grands s'entraîneront dans l'eau.

Sixième étape

A présent, je ferai parcourir à chaque enfant, individuellement, une longueur de piscine en utilisant à la fois le mouvement des jambes et celui des bras. Je recommanderai le port du Swim Buoy pour aider l'enfant à se détendre et à se concentrer sur ses mouvements.

En s'éloignant du bord de la piscine, il prendra la première position: c'est-à-dire bras et jambes complètement étendus, visage dans l'eau et le corps en position horizontale de glissement de la brasse. Il commencera à exercer une traction avec ses mains en pliant les coudes, pendant que ses genoux se plient pour exécuter leur premier mouvement. Il lèvera la tête pour inspirer.

Tandis que les jambes s'étendent et se séparent, les mains reviennent près du corps (troisième position), et pendant que les jambes se referment, les bras partent vers l'avant et le nageur expire dans l'eau. Au début, ces mouvements s'effectueront lentement mais en mesure, le nageur se concentrant sur leur exécution.

Nancy, six ans, nage ses premières longueurs de brasse avec l'aide de son Swim Buoy.

Nous voyons ici la deuxième position, où les bras et jambes sont pliés.

A la troisième position, le nageur a les coudes près du corps et la bouche ouverte pour l'inspiration.

On ne peut acquérir une brasse parfaitement coordonnée sans beaucoup d'entraînement. La brasse est une nage élégante et tout à fait silencieuse, les bras et les jambes effectuant tous leurs mouvements sous la surface.

Au fur et à mesure que les enfants apprendront à nager plusieurs longueurs consécutives, je les suivrai le long de la piscine et corrigerai leurs défauts.

Septième étape

Parvenue à cette étape, la classe peut nager la brasse sur plusieurs longueurs de piscine consécutives. Je dégonflerai progressivement les Swim Buoy, jusqu'au moment où je pourrai les retirer complètement. Il s'agit d'une étape de perfectionnement, où les défauts mineurs devraient disparaître.

Une erreur commune aux débutants consiste à s'immerger complètement sous la surface, en oscillant continuellement de haut en

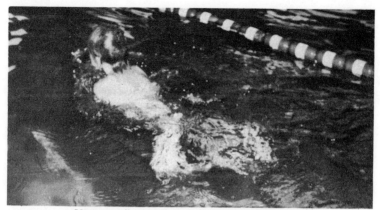

Une vue d'en arrière. Régent junior, avec ses bras et jambes en troisième position.

Un écusson et une médaille sont remis à chaque enfant qui réussit l'examen.

bas. Il faut leur expliquer que la tête doit basculer en avant pour expirer dans l'eau, mais qu'en aucun temps elle ne doit être tout à fait submergée.

En nageant la brasse, les débutants accusent aussi une fâcheuse tendance à ramener les bras droits de chaque côté de leur corps, au lieu de garder les coudes pliés et les mains devant eux.

Huitième étape

Les enfants sont maintenant prêts à subir un examen. Bien entendu, il n'est plus question de Swim Buoy. Chaque candidat qui réussira son examen recevra un écusson et une médaille attestant qu'il peut nager la brasse.

Chaque enfant, individuellement, devra nager trois longueurs consécutives de piscine. J'observerai le mouvement de ses jambes, qui devrait s'effectuer sous la surface, et celui de ses bras, qui devrait également s'exécuter sous l'eau. Je surveillerai la position de sa tête et sa respiration. Les bras, ainsi que les jambes, doivent toujours bouger simultanément. L'ensemble de tous les mouvements doit présenter coordination et souplesse.

Il importe d'observer chaque nageur en particulier, avant d'accorder écussons et médailles. De la part des élèves de huit ans et plus, j'exigerai 50 mètres consécutifs de brasse à peu près parfaite. Les enfants de cinq à sept ans devront obtenir, sur un parcours de 25 mètres consécutifs, une brasse presque parfaite. Quant aux enfants de trois et quatre ans, ils devront nager la brasse sur une distance de 15 mètres consécutifs.

Tout enfant qui s'avère capable de nager la distance requise, mais dont la technique demande des améliorations, recevra l'écusson seulement. Il sait que la médaille n'est plus loin, et il redoublera d'efforts.

LA NAGE DE CÔTÉ

On considère généralement la nage de côté comme l'une des plus faciles à apprendre. Cette nage très agréable jouit d'une grande faveur auprès des enfants et des adultes. Elle ne comporte aucune technique respiratoire difficile, puisqu'on l'exécute la tête hors de l'eau. La nage de côté pourrait se définir comme une nage de sauvetage et de « repos ».

Première étape

Comme pour les autres nages, je préfère commencer à enseigner les bases de la technique hors de l'eau. De cette façon, l'enfant éprouve beaucoup moins de difficulté quand vient le moment de s'exécuter dans l'eau. L'enfant, donc, se couchera sur le côté, près de la piscine.

Première position: L'enfant a les pieds joints et les orteils pointés.

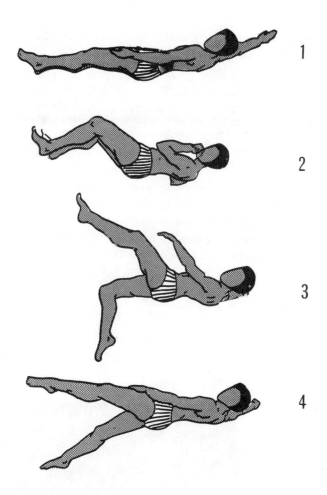

1

2

3

4

1 — Le nageur est couché sur le côté, le bras sous la surface et allongé sur la cuisse.

2 — Le nageur plie ses coudes et rapproche ses mains l'une de l'autre. Les jambes sont pliées mais réunies.

3 — La jambe du dessous est poussée vers l'avant et l'autre vers l'arrière en "ciseaux". Les bras se séparent en poussant l'eau.

4 — Le nageur ferme ses jambes avec un mouvement vigoureux qui le propulse dans un glissement.

Deuxième position: L'enfant plie les jambes, tout en gardant les genoux ensemble.

Troisième position: L'enfant écarte et allonge les jambes. Gardant les orteils pointés, il pousse la jambe du dessus vers l'avant et la jambe du dessous vers l'arrière. Ce mouvement de jambes s'appelle le ciseau.

Quatrième position: L'enfant rapproche les jambes et revient à la première position.

Deuxième étape

Les enfants devront maintenant exécuter très exactement les quatre mouvements de jambes dans l'eau. Ils se placeront sur le côté, leur équilibre étant assuré par la main du dessous appuyée à plat sur la paroi de la piscine, la main du dessus tenant le rebord.

Première position: l'enfant est placé sur le côté, les jambes réunies et les orteils pointés.

Deuxième position: il plie les jambes sans séparer les genoux.

Troisième position: la jambe du dessus va vers l'avant et celle du dessous vers l'arrière.

Je leur ferai prendre la première position, jambes ensemble et orteils pointés. Pour la deuxième position, ils plieront les jambes, sans séparer les genoux. Ils exécuteront la troisième position en bougeant la jambe du dessus vers l'avant et celle du dessous vers l'arrière. Enfin, quatrième position, les jambes sont ramenées l'une contre l'autre, comme dans la première position. Le mouvement entier s'effectue sous la surface de l'eau.

Troisième étape

Pour apprendre le mouvement des bras de la nage de côté, les enfants se tiendront debout dans la partie la moins profonde de la piscine. Ils assureront leur équilibre en écartant les pieds. Les bras seront tenus droits.

Première position: L'enfant descend le bras gauche vers le fond de la piscine, pliant le coude au moment où le bras remonte du côté opposé de la poitrine, la paume de la main dirigée vers le haut.

141

L'enfant prendra sa première position debout dans la piscine, les jambes écartées pour garder son équilibre.

Deuxième position: le nageur plie ses coudes et envoie ses deux mains l'une vers l'autre.

Troisième position: le bras droit s'allonge pour commencer le glissement et le bras gauche pousse l'eau vers l'arrière pour effectuer un long glissement.

Deuxième position: Le bras droit sort de l'eau, coude plié, et se dirige vers la main gauche. Les deux mains se rencontrent.

Troisième position: Les deux mains viennent passer sous le menton, la gauche allant glisser en avant tandis que la droite exerce dans l'eau une poussée vers l'arrière.

Quatrième position: Les deux bras sont maintenant complètement étendus, comme dans la première position.

Quatrième étape

La classe connaît à présent les mouvements de jambes et de bras de la nage de côté. Chaque enfant devra, individuellement, parcourir une longueur de piscine en utilisant la nage de côté. Cette nage peut s'effectuer, indifféremment, sur le côté gauche ou sur le côté droit: à chaque nageur de décider quel côté il préfère.

D'un élan, l'enfant s'éloignera du bord de la piscine et, sur le côté, commencera immédiatement ses mouvements. Il lui faut maintenant coordonner ses mouvements. Il est important d'apprendre au nageur à glisser pendant que les bras sont étendus. En position de glissement, le bras du dessous sera étendu sous la tête. L'autre bras restera le long du corps. Au moment où les bras, étendus, entreprendront leur mouvement l'un vers l'autre, les jambes se plieront, ensemble, au niveau des genoux, puis se sépareront pour exécuter le ciseau en même temps que les mains passent l'une près de l'autre.

Lorsque les mains se séparent et vont prendre la position de glissement, le nageur referme les jambes d'un mouvement énergique. C'est ce rapprochement des jambes qui propulse le nageur en un long glissement. Des jambes faibles procureront un glissement plus court, forçant le nageur à effectuer plus de mouvements pour parcourir sa longueur de piscine.

Cinquième étape

Les enfants sont maintenant prêts à subir un examen. Le port du Swim Buoy n'est plus autorisé. Tous ceux qui réussiront leur examen recevront un écusson montrant un nageur en position de nage de côté. A mon école, les médailles sont réservées aux nages olympiques. Puisque l'on considère la nage de côté comme une nage de sauvetage, il n'est évidemment pas question de médaille dans son cas.

Chaque élève nagera, à son tour, sur une distance proportionnée à son âge. Pendant ce temps, j'observerai son mouvement de jambes, qui devrait s'effectuer sous la surface. Je surveillerai son mouvement de bras et la position de sa tête qui, à aucun moment, ne devrait être immergée. Le corps doit constamment rester sur le côté. Le nageur devrait pouvoir démontrer une bonne coordination et évoluer par glissements longs et détendus.

J'exigerai de mes élèves de huit ans et plus 50 mètres consécutifs de nage de côté. Aux enfants de cinq à sept ans, je demanderai une technique quasi parfaite sur un parcours de 25 mètres consécutifs. Les enfants de trois et quatre ans devront réussir 15 mètres consécutifs de nage de côté.

LA NAGE SUR LE DOS ÉLÉMENTAIRE

La nage sur le dos élémentaire appartient à la même catégorie que la nage de côté. C'est une nage de repos et de sauvetage. Comme dans la nage de côté, un long glissement suit chaque poussée. Cette nage s'avère très facile à apprendre, de sorte qu'adultes et enfants peuvent la maîtriser en peu de leçons.

Première étape

Comme toujours, je commence les premiers exercices pour les jambes hors de l'eau. Les enfants s'étendront sur le plancher, le plus confortablement possible, le derrière tout à fait au bord de la piscine. Leurs pieds pendront au-dessus de l'eau.

Première position: Les jambes sont étendues, l'une contre l'autre, les orteils pointés.

Première position: le derrière tout à fait au bord de la piscine, les jambes sont étendues l'une contre l'autre, les orteils pointés.

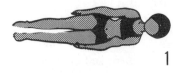

1

2

3

4

1 — Le nageur commence avec un glissement.

2 — Les coudes sont pliés et les mains se joignent au niveau de l'épaule. Les genoux sont pliés et peuvent être légèrement écartés ou gardés réunis, les orteils pointés.

3 — Le nageur étend les bras au niveau des épaules. Les jambes se séparent et le nageur fouette l'eau vers l'arrière (ce mouvement peut se faire avec les genoux réunis, dans ce cas le bas des jambes seulement fouette l'eau.) Les genoux restent sous la surface de l'eau en tout temps.

4 — Les jambes se ferment et propulsent l'enfant dans un glissement.

Deuxième position: l'enfant plie les genoux en abaissant ses pieds vers l'eau. Les talons sont joints, les orteils pointés vers l'extérieur et les genoux ensemble. Les genoux peuvent être légèrement écartés.

La troisième position, où l'enfant pousse les pieds vers l'extérieur et la quatrième position, où l'enfant ferme ses pieds, se font en un mouvement énergique pour assurer une propulsion dans l'eau.

Deuxième position: L'enfant plie les genoux, abaissant ses pieds vers l'eau. Les talons sont joints, les orteils pointés vers l'extérieur et les genoux légèrement écartés. Cette position obligera le ventre à s'arquer vers le plafond.

Troisième position: Il pousse les pieds vers l'extérieur, les orteils pointés.

Quatrième position: L'enfant rapproche ses pieds en un mouvement énergique, qui assurera sa propulsion une fois dans l'eau.

La classe répétera cet exercice au moins dix minutes, hors de l'eau, pendant que je compterai tout haut pour rythmer les mouvements.

Deuxième étape

Je remettrai maintenant à chaque enfant une planche flottante, qu'il tiendra derrière sa tête. Il s'éloignera du bord sur le dos, jambes droites et rapprochées, en première position. A présent il doit plier les genoux et abaisser ses pieds vers le fond de la piscine. Ses genoux ne doivent pas dépasser la surface, et il tient ses talons joints et ses orteils pointés vers l'extérieur, en deuxième position.

Je lui demanderai de se concentrer pour exécuter d'un seul mouvement les positions trois et quatre, de sorte qu'il obtienne une forte poussée en étendant les jambes et en les ramenant l'une contre l'autre.

Il n'avancera pas vite en n'utilisant que ses jambes. Mais je mets l'accent sur l'importance d'une allure lente et d'une bonne concentration sur le mouvement des jambes.

Troisième étape

Encore une fois hors de l'eau, j'apprendrai aux enfants le mouvement des bras de la nage sur le dos élémentaire.

Première position: Les bras sont allongés, le long du corps.

Deuxième position: L'enfant plie les coudes jusqu'à ce que ses doigts touchent ses épaules.

Troisième position: Il étend les bras de chaque côté, au niveau des épaules, en tenant la paume vers le bas.

Quatrième position: L'enfant ramène ses bras vers le bas, de chaque côté de son corps, comme en première position.

Quatrième étape

A présent, l'enfant devra parcourir une longueur de piscine en utilisant à la fois le mouvement des bras et celui des jambes.

L'enfant s'éloignera du bord en première position, jambes droites et bras aux côtés. Lorsqu'il sentira son glissement ralentir, il pliera les genoux et abaissera les pieds vers le fond de la piscine. Simultanément, il pliera les coudes et touchera ses épaules de ses doigts. En cette position, il est presque arrêté.

Pour se propulser vers l'enfant, il séparera et étendra les jambes. En même temps, il poussera dans l'eau avec ses mains, en étendant les bras au niveau des épaules.

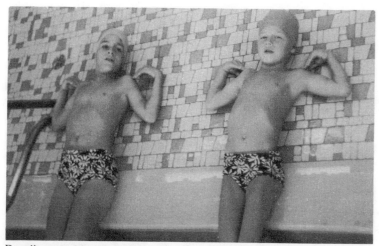

Deuxième position pour les bras, l'enfant plie les coudes jusqu'à ce que ses doigts touchent ses épaules.

Troisième position: l'enfant étend les bras de chaque côté au niveau des épaules. Mario, 9 ans, nous montre la troisième position des bras et des jambes.

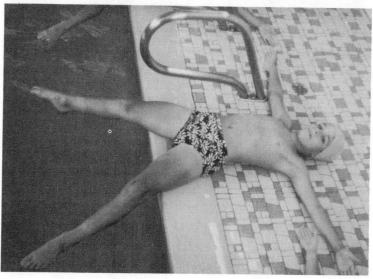

Mario, en deuxième position de la nage élémentaire sur le dos. Ses genoux sont collés mais cette nage peut aussi se faire avec les genoux légèrement écartés, comme on le voit dans les photos précédentes.

En un mouvement puissant et simultané, il fermera les jambes et abaissera les bras le long de son corps. Un long glissement devrait s'ensuivre.

Si le nageur éprouve quelque difficulté à arquer son ventre au moment où il plie les genoux, je recommanderai le port d'un Swim Buoy. Le Swim Buoy empêchera l'enfant d'abaisser son derrière et de plier son corps au niveau des hanches. La flexion des hanches amènera les genoux à dépasser la surface de l'eau. Les bras et les jambes doivent toujours effectuer leurs mouvements sous l'eau. Après plusieurs longueurs de piscine, les enfants exécuteront très aisément la nage sur le dos élémentaire.

Cinquième étape

Les enfants sont maintenant prêts à subir un examen. Le port du Swim Buoy n'est plus autorisé. Chaque enfant qui réussira cet examen recevra un écusson montrant un nageur en position de nage sur le dos élémentaire. A mon école, je n'attribue de médailles que dans le cas de nages olympiques. Cette nage en est une de sauvetage et ne procure pas de médaille.

Chaque enfant, individuellement, devra parcourir une distance proportionnée à son âge. J'observerai le mouvement de ses jambes, qui devrait s'effectuer sous la surface. Si ses genoux sortent de l'eau, c'est qu'il plie les hanches. Je surveillerai également son mouvement de bras. Les bras devraient être allongés au niveau des épaules et ne jamais dépasser la tête vers l'arrière. La tête restera en tout temps au-dessus de la surface; le corps flottera constamment à plat sur l'eau. L'élève devrait posséder une bonne coordination et obtenir un glissement long et détendu.

J'exigerai de mes élèves de huit ans et plus une démonstration parfaite, sur une distance de 50 mètres, et de ceux de six et sept ans, une quasi-perfection sur un parcours de 25 mètres. Quant aux enfants de trois à cinq ans, ils exécuteront la nage sur le dos élémentaire sur une distance de 15 mètres.

L'écusson de la nage élémentaire sur le dos est remis à chaque enfant qui réussit l'examen.

LA NAGE PAPILLON

La nage papillon est fascinante, difficile et épuisante à apprendre pour un jeune enfant. J'estime que cette nage ne devrait être enseignée qu'en dernier lieu aux enfants de moins de huit ans. Lorsqu'il abordera l'étude de la nage papillon, l'enfant maîtrisera déjà la nage du chien, la nage sur le dos, le style libre, la brasse, la nage de côté et la nage sur le dos élémentaire. Il aura acquis une bonne coordination et le contrôle de son système respiratoire. Ses forces ont augmenté, et il peut parcourir plusieurs longueurs de piscine en combinant toutes les nages.

Ses leçons l'ont préparé à aborder et à maîtriser la nage papillon. Ayant déjà suivi d'autres cours de natation, les enfants qui parviennent au cours de nage papillon se montrent passionnés et impatients d'apprendre cette prestigieuse nage olympique. Après avoir maîtrisé la nage papillon, beaucoup de jeunes nageurs accéderont directement aux « équipes de natation », où ils s'entraîneront pour la natation de compétition.

Plusieurs enfants demandent pourquoi l'on donne à cette nage le nom de papillon, alors que chacun sait bien que les papillons ne nagent pas. Cette appellation provient du fait que le nageur adopte une posture et un mouvement de bras qui font penser au papillon. Lorsque les bras sortent de l'eau et se projettent vers l'avant, les traînées d'eau ressemblent à des ailes, et un puissant nageur de papillon avance si vite qu'il donne l'impression de voler sur l'eau.

Première étape

Le battement de jambes de la nage papillon s'appelle « battement du dauphin » parce qu'il ressemble aux mouvements de cet animal. Les jambes demeurant jointes, il s'avère presque impossible d'enseigner ce battement hors de l'eau. En expliquant le battement de la nage papillon, il importe de souligner qu'il part des hanches pour se poursuivre aux cuisses, aux genoux et, enfin, aux chevilles. Avant d'entreprendre les exercices dans l'eau,

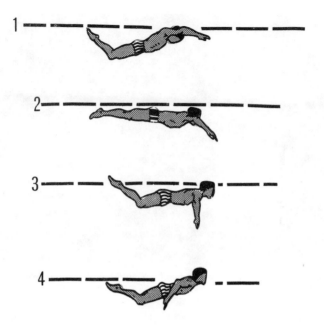

1 — Les bras entrent dans l'eau devant le nageur, en ligne avec les épaules. Les jambes exécutent simultanément le premier battement.

2 — Les mains poussent vers l'extérieur puis vers le bas, les coudes hauts et légèrement pliés.

3 — Au moment où les mains passent sous la poitrine, elles sont presque ensemble.

4 — Quand les bras terminent leur mouvement, la tête se soulève pour inspirer et le second battement a lieu.

Ma fille Lynn nous montre son style papillon. A 10 ans, elle détient plusieurs records de cette nage.

on peut exécuter quelques mouvements préliminaires hors de l'eau.

Les enfants se tiennent debout, mains aux hanches, et balancent la partie inférieure de leur corps. Ils doivent sentir que leurs genoux réagissent aux mouvements oscillants ou tournants des hanches, en pliant légèrement.

Premier exercice: Les enfants descendent dans l'eau et se retiennent au rebord intérieur. Les deux mains sont rapprochées. Toute la classe exécute le battement de jambes du crawl, en essayant de bien sentir le jeu de la cheville, du pied et du genou.

Deuxième exercice: La classe exécute le même battement, mais avec un mouvement simultané des jambes vers le haut et vers le bas. Les enfants doivent sortir les fesses de l'eau chaque fois que les jambes descendent. Lorsque certains enfants ne parviennent pas à effectuer ce mouvement des hanches, il peut s'avérer nécessaire de descendre à l'eau pour les aider à élever et à abaisser les hanches correctement.

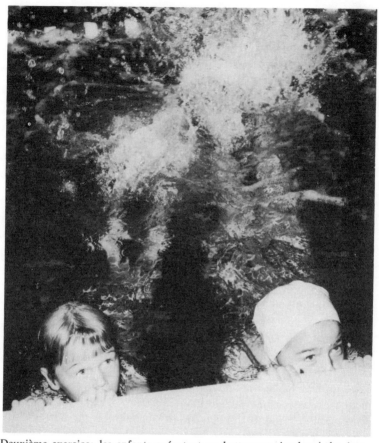

Deuxième exercice: les enfants exécutent un battement simultané des jambes vers le haut et vers le bas.

Troisième exercice: La classe exécute maintenant le battement du dauphin, tel que décrit plus haut, se retenant toujours au rebord de la piscine, mais en respirant dans l'eau et hors de l'eau.

Quatrième exercice: Les enfants continuent le battement du dauphin, mais avec les mains à présent sous l'eau et s'appuyant contre la paroi. Le nageur lève le menton chaque fois qu'il lève les pieds, et le baisse chaque fois qu'il baisse les pieds.

Cinquième exercice: Les nageurs sont en ligne. Les mains collées aux cuisses, l'enfant s'éloigne du bord, prend une profonde inspiration et exécute le battement du dauphin. Il doit retenir sa respiration et poursuivre son battement le plus longtemps possible. S'il éprouve quelque difficulté, il peut essayer d'exécuter le même exercice en tenant les bras tendus devant lui.

Deuxième étape

Le mouvement des bras de la nage papillon ressemble beaucoup à celui du crawl, sauf que les bras doivent maintenant bouger simultanément.

Premier exercice: La classe exécute le mouvement des bras hors de l'eau et on lui explique l'entrée du bras, son extension, sa traction et sa poussée.

Deuxième exercice: Le nageur est debout dans la piscine, avec de l'eau jusqu'à mi-corps, et se penche jusqu'à avoir le menton au niveau de l'eau. Il projette ses bras vers l'avant, les doigts pénétrant dans l'eau les premiers. L'écartement entre les bras correspond à la largeur des épaules et les coudes sont tournés vers le haut. Au moment où les mains descendent sous la surface, la traction vers le bas et vers l'arrière doit commencer immédiatement, coudes tournés vers le haut. En sortant de l'eau, les bras doivent être presque droits. Le nageur pousse maintenant ses bras vers l'arrière, préparant leur rentrée dans l'eau.

Troisième exercice: La classe exécute le mouvement des bras seulement, jambes immobiles. Pour se concentrer sur ses bras, le nageur doit retenir sa respiration et garder la tête dans l'eau.

Quatrième exercice: Le nageur combine le mouvement des bras décrit plus haut et l'exercice de respiration. Au moment où ses bras terminent leur poussée vers l'arrière, le nageur lève la tête, juste assez pour que son menton émerge à la surface; il inspire et rentre la tête dans l'eau pendant que ses bras se projettent vers l'avant.

Troisième étape

A présent, les nageurs devront essayer de coordonner leurs mouvements. Le cycle de la nage papillon commence quand les bras entrent dans l'eau, devant le nageur et en ligne avec les épaules. Au moment où les mains exercent leur traction vers le bas et vers l'extérieur, les jambes ont amorcé leur battement descendant. Ce battement descendant cesse lorsque les hanches atteignent la surface. Comme les mains passent directement sous les épaules, les coudes sont pliés et le deuxième battement commence. Quand les mains commencent à remonter pour sortir de l'eau, le nageur lève la tête pour inspirer; il expirera ensuite dans l'eau, pendant que ses bras exécuteront leur mouvement vers l'arrière.

Il est très difficile d'expliquer à un enfant le double battement du dauphin. En effet, un bon nageur de papillon doit effectuer deux battements. Le premier, et le plus puissant, s'exécute au moment où les bras amorcent leur traction. Le second battement, plus faible, coïncide avec la fin de la poussée des bras. Peut-être vaut-il mieux de dire à l'enfant de poursuivre ses battements sans arrêt. Bientôt, il aura adapté le rythme de ses deux battements à celui du mouvement complet de ses bras.

Cette nage est particulièrement épuisante. Je suggère qu'un enfant un peu faible porte son Swim Buoy pour flotter plus aisément, jusqu'à ce qu'il ait acquis une bonne coordination.

Quatrième étape

L'enfant a maintenant appris à coordonner les mouvements des bras et des jambes de la nage papillon. Je m'occuperai, désormais, de lui faire exécuter des exercices qui augmenteront la force de ces mouvements.

Chaque enfant, tenant à deux mains une planche flottante, effectue le battement du dauphin. Je regarde si chacun sort bien son derrière de l'eau. Si un enfant semble éprouver quelque difficulté, je lui dis de pousser de ses deux mains comme s'il voulait enfoncer la planche flottante. Il doit apprendre à parcourir quelques longueurs de piscine en n'utilisant que ses jambes.

Régent, 5 ans, pratique le battement du dauphin en tenant une planche flottante.

Pour renforcer le mouvement de bras du nageur de papillon, j'attacherai un Swim Buoy autour de ses jambes, juste au-dessus des genoux. Ainsi, ses jambes flotteront pendant qu'il s'entraîne à parcourir ses longueurs de piscine en ne se servant que de ses bras.

Très souvent, les nageurs de papillon adopteront l'habitude d'utiliser le battement de jambes de la brasse au lieu de celui du dauphin. Pour remédier à ce défaut, je lierai ensemble les jambes du nageur à l'aide d'une grosse bande élastique. Les jambes ainsi attachées, il se verra forcé d'utiliser le battement du dauphin.

Exécuter la nage papillon en se servant du battement de la brasse ne constitue pas, à proprement parler, une « erreur »; il s'agit simplement d'une technique périmée. On exécutait de cette façon la nage papillon originale. Le battement du dauphin a permis aux nageurs de papillon d'enregistrer de plus grandes vitesses, et c'est lui qu'utilisent maintenant les champions olympiques.

Régent commence son inspiration en même temps qu'il sort ses bras de l'eau. L'inspiration doit être coordonnée avec le mouvement des bras.

Cinquième étape

Les enfants sont prêts à passer un examen. Le port du Swim Buoy est interdit. Tous ceux qui réussiront obtiendront un écusson et une médaille de nageur de papillon.

Chaque enfant, individuellement, devra nager sur une distance proportionnée à son âge. J'observerai son battement de jambes. L'enfant doit utiliser le battement du dauphin — et non celui de la brasse. Ses hanches doivent se mouvoir avec souplesse. Durant l'inspiration, ses épaules ne doivent pas sortir de l'eau. Ses bras doivent sortir complètement de l'eau et non pas traîner à la surface. Tous les mouvements des bras et des jambes doivent avoir lieu simultanément. Pour obtenir leur médaille, les nageurs de moins de huit ans devront parcourir 25 mètres en exécutant une nage papillon presque parfaite. Les autres nageront sur une distance de 50 mètres. Tout nageur que je ne jugerai pas prêt à

Pour une bonne position, le menton doit rester au niveau de l'eau.

La nage papillon exécutée par Régent, à l'âge de 4 ans. Son visage exprime un effort extraordinaire. Cette position un peu haute est normale pour un enfant de quatre ans.

recevoir la médaille obtiendra, néanmoins, l'écusson. Il continuera à s'entraîner pendant quelques leçons, jusqu'à ce qu'il puisse offrir une nage assez parfaite pour que je lui accorde sa médaille.

* * *

Les pages qui précèdent donnent un bon aperçu de mes techniques d'enseignement des sept nages fondamentales. Une fois que l'enfant aura appris ces sept nages, je lui ferai subir un examen de natation final. Jusqu'à présent, chaque examen portait sur une seule nage, parce que je ne crois pas qu'on puisse enseigner efficacement deux ou trois nages à la fois à un enfant. Cet examen final consistera en un mélange des quatre nages olympiques, que l'enfant devra exécuter sur un parcours de 200 mètres.

Le nageur se tiendra sur le bord de la piscine, effectuera son plongeon et entreprendra l'épreuve par un 50 mètres papillon. Suivront un 50 mètres dos, un 50 mètres brasses et, enfin, un 50 mètres style libre. Il ne s'agit pas d'une épreuve de vitesse. Au contraire, je demande à l'enfant d'aller lentement, parce que je ne veux pas qu'il s'épuise et se voie obligé d'arrêter après la nage sur le dos. Je surveille chaque nage séparément, observant la respiration, la position du corps et la coordination. Tout nageur qui réussit son 200 mètres quatre nages reçoit la médaille NEPTUNE.

Un enfant qui a obtenu sa médaille Neptune peut désormais envisager sérieusement l'entraînement de compétition. Ayant maîtrisé toutes les nages, il éprouvera le désir de faire partie d'une équipe de natation et de devenir nageur de compétition dans le sport amateur. Son succès en compétition ne dépendra pas seulement des méthodes d'entraînement, mais aussi de son ardeur au travail. Un nageur stimulé par l'ambition peut, un jour, accéder à la renommée des Mark Spitz ou des Shane Gould.

L'enseignement de la natation aux enfants handicapés

La natation constitue une excellente activité qui répond aux divers besoins des enfants handicapés et attardés. En plus de contribuer à l'amélioration de leur coordination, de leur forme et de leurs capacités physiques, la natation permet à ses adeptes de connaître le succès et la perfection. Elle leur est également un facteur de confiance en soi, de fierté vis-à-vis de leurs réalisations; elle leur apprend non seulement l'esprit de collaboration, mais aussi celui de compétition. La natation représente l'occasion de relever un défi, du début à la fin, et d'éprouver en même temps du plaisir à le faire.

Partout dans le monde, les ateliers de réhabilitation, les cliniques, les instituts et les hôpitaux ont établi, pour les enfants handicapés et attardés, des programmes faisant une large place à la natation, suivant la recommandation des plus grands spécialistes. Je crois qu'au cours des prochaines années on travaillera à mettre sur pied des cours de natation spéciaux pour ces enfants défavorisés. Je connais plusieurs cas où des enfants passent plusieurs heures par semaine à des séances de physiothérapie, mais n'apprennent pas à nager. Pourtant, après avoir accumulé tant d'heures d'exercices dans l'eau, ces enfants handicapés feraient d'excellents sujets pour les cours de natation. Ils ont déjà appris à se détendre dans l'eau et compris, probablement, que leurs exercices aquatiques pourraient un jour améliorer leur état ou, du moins, accroître leurs forces.

Il n'existe pas de méthode passe-partout qui puisse garantir le succès pour tous les enfants handicapés. Face à chaque problème et à chaque individu, je devrai trouver les méthodes, les techniques et les modes de progression les plus appropriés. La plupart des enfants handicapés ou attardés, quels que soient leur niveau ou leur âge, sont capables d'obtenir quelque succès dans leurs activités aquatiques.

Le sentiment de fierté que l'enfant handicapé éprouvera après avoir maîtrisé les éléments de la natation aura une influence bénéfique sur son comportement général. Sa détermination et sa réussite déborderont dans les autres aspects de sa vie, en plus d'agir puissamment sur son développement physique.

Il importe de connaître les antécédents scolaires et familiaux de l'enfant; de cette façon, il m'est possible d'adapter son cours de natation à ses expériences.

Avec l'enfant handicapé, le climat doit être fait d'empathie plutôt que de sympathie. Il faut, avant tout, de la patience.

Quand on enseigne la natation à un enfant handicapé, il faut beaucoup compter sur la répétition pour renforcer ses tissus musculaires et lui faire clairement comprendre ce qu'on attend de lui. C'est un important facteur de réussite.

Idéalement, l'enfant handicapé devrait vraiment participer, à cause du désir intérieur qu'il en a et de la satisfaction personnelle qui s'y rattache. Vu que la natation, en tant qu'exercice de réhabilitation, doit commencer dès le plus jeune âge, beaucoup d'enfants handicapés sont encore trop jeunes pour en tirer parti. A cet âge, ils ne comprennent pas très bien où est leur intérêt, et il peut s'avérer nécessaire de les appâter un peu en leur offrant des récompenses tangibles: leur distribuer des bonbons, les photographier, etc.

La sécurité exige que les classes soient bien disciplinées. A mon école, les enfants handicapés portent un Swim Buoy sur le dos; cela les amène, peu à peu, à sentir qu'ils peuvent flotter et à comprendre que l'eau est tout à fait capable de les supporter. Dans certains cas, selon le degré d'incapacité de l'enfant, j'ajouterai au Swim Buoy, porté sur le dos, un collet flottant autour de son cou pour soutenir sa tête et, si nécessaire, de petits flotteurs attachés aux bras. Ainsi, cette facilité à flotter qu'éprouvera l'enfant l'aidera non seulement à apprendre plus vite, mais aussi à se détendre et à goûter le fait de se trouver dans l'eau. L'enfant handicapé, tout comme les autres enfants, a peur de couler et d'avaler de l'eau. Les flotteurs lui sont encore plus nécessaires qu'aux enfants normaux. Une fois à son aise dans l'eau, l'enfant démontrera plus de réceptivité et apprendra mieux. Les flotteurs apprendront à l'enfant ce que son corps peut faire, où il peut aller et comment il peut bouger. Le collet flottant se révèle d'une efficacité exceptionnelle dans le cas d'enfants aveugles.

Le collier flottant supporte la tête hors de l'eau sans nuire aux mouvements des bras et des jambes. Une aide indispensable pour les enfants handicapés ou aveugles.

Les piscines devraient comporter un plancher et un bord non glissants, et des échelles ou des escaliers devraient donner accès à la partie profonde comme à celle peu profonde.

Personnellement, je ne crois pas qu'il faille absolument séparer les enfants handicapés des enfants normaux, tout simplement parce que la natation est un sport que *tous* peuvent apprendre. En isolant les enfants handicapés, j'estime que nous créons ou contribuons à développer un complexe qui a peut-être déjà commencé à s'installer en eux. La plupart de ces enfants apprennent et progressent aussi vite que les autres. Les enfants sont portés à s'imiter les uns les autres. Un groupe d'enfants normaux exécutant correctement ce qu'on leur demande constitue un excellent exemple pour l'enfant handicapé. Avec l'aide de son Swim Buoy, il pourra faire aussi bien que les autres enfants. En fait, dans mes classes de débutants, les enfants handicapés n'éprouvent aucune difficulté à parcourir à la nage du chien leurs longueurs de piscine et, parfois, à atteindre les premiers le bord opposé. Ils peuvent fort bien souffrir d'une déficience physique qui les empêche de sortir seuls de la piscine; mais mes moniteurs veillent et sont chargés de les aider, si nécessaire.

Cette possibilité de se joindre, pendant les cours de natation, aux enfants physiquement normaux amène l'enfant handicapé à comprendre qu'il peut s'amuser aussi bien que n'importe qui. Il ne faut pas oublier que la plupart des sports restent interdits aux handicapés. L'enfant handicapé ne sera probablement jamais capable de rouler à bicyclette, de patiner, de jouer au hockey, au baseball, au tennis, au bowling, ni, enfin, de pratiquer tout sport qui exige des jambes et des bras sains. Mais, puisque son corps flotte sur l'eau, il pourra nager, sinon à la perfection, du moins suffisamment pour faire de la natation son sport à la fois unique et favori.

Généralement, les enfants handicapés possèdent une force physique et un courage moral capables de faire honte à bien des enfants normaux. Le plus souvent, ils s'avèrent extrêmement intelligents, dépourvus de tout égoïsme et toujours prêts à essayer et essayer encore. Beaucoup d'enfants normaux craignent l'eau à un tel point que, à mon avis, ils souffrent d'un « problème mental » beaucoup plus difficile à surmonter que celui, physique, des enfants handicapés.

L'enseignement de la natation aux adultes

Il y a tellement à dire sur l'enseignement de la natation aux adultes, que je pourrais probablement écrire tout un livre sur le sujet. Toutefois, vu que nous enseignons actuellement la natation aux jeunes de notre génération, il est permis d'espérer que la prochaine génération d'adultes se révélera physiquement capable de nager.

Des statistiques récentes révèlent que plus de 70% de nos adultes ne peuvent même pas nager 20 pieds [6 m] et que, parmi ceux-ci, 60% ne savent pas nager du tout!

Personne ne peut invoquer d'excuse valable pour ne pas savoir nager. Peut-être pourrait-on rejeter le blâme sur notre système d'éducation qui a négligé l'enseignement de la natation dans les écoles, à l'époque de notre jeunesse. Mais il faut dire que, hors de l'école, les occasions d'apprendre à nager ne manquent pas. Presque toutes les municipalités possèdent des piscines où l'on offre des cours de natation d'un bout à l'autre de l'année. Tous les parents devraient se faire un devoir de veiller à ce que leurs enfants reçoivent une éducation aquatique suffisante, de sorte qu'une fois adultes ils ne se retrouvent pas dans la catégorie des non-nageurs.

A mon école, mes cours pour adultes sont aussi fréquentés que ceux pour enfants ou pour bébés. Certains adultes se sentent obligés de s'inscrire, lorsqu'ils s'aperçoivent que leurs enfants nagent mieux qu'eux. Ils craignent que leurs enfants ne s'aventurent, un jour, à nager en eau profonde et ne s'y trouvent en difficulté sans qu'eux-mêmes ne puissent leur venir en aide. D'autres s'inscrivent à des cours de natation afin de pouvoir s'amuser dans l'eau avec leurs enfants. Pourtant d'autres, qui n'ont pas d'enfants ou dont les enfants ont quitté la maison, s'inscrivent aux cours pour leur propre plaisir. De toute façon, je crois indispensable que tous les adultes qui ne savent pas nager, quel que soit leur âge, prennent au plus tôt des leçons de natation.

Ce n'est pas toujours par peur de l'eau que les adultes ne savent pas nager. Plusieurs d'entre eux se classent dans cette catégorie parce qu'ils n'ont jamais eu l'occasion, dans leur jeunesse, de connaître les plaisirs de l'eau. S'ils ont vraiment peur de l'eau, c'est qu'ils ignorent tout simplement quoi faire quand ils y sont. Lorsque ces adultes décident de prendre des leçons de natation, ils découvrent un sport captivant qui leur propose des défis à relever et des bénéfices personnels à retirer.

Il existe, par ailleurs, une catégorie d'adultes qui ont terriblement peur de l'eau, et qui ont entretenu cette peur depuis leur enfance. Pourtant, les bébés ne naissent pas avec la peur de l'eau. Notre peur de l'eau s'est installée en nous, soit à la suite d'une mauvaise expérience, soit sous l'influence de parents qui ont eux-mêmes peur de l'eau et ont transmis leur phobie à leurs enfants.

En parlant avec une femme qui affichait une peur de l'eau tout à fait extrême, j'ai pu découvrir que, lorsqu'elle était enfant, sa mère la menaçait de la battre si elle s'approchait de la rivière qui coulait à environ un demi-mille [,8 km] de la maison. La mère de cette femme avait tellement peur, qu'elle défendait même à sa fille de traverser le pont qui reliait leur ville à la ville voisine, de peur qu'on ne la pousse par-dessus le parapet, ou que le pont ne s'effondre et ne la précipite dans l'eau. Pendant toutes ces années, elle dut prendre son bain en laissant la porte ouverte: sa mère craignait qu'elle ne se noie dans la baignoire. A quarante et un ans, elle se vit conseiller par son médecin de prendre des leçons de natation, qui l'aideraient à traverser une période de convalescence consécutive à une opération au dos et qui lui permettraient de se divertir, alors que ses deux enfants étaient au collège.

Pendant dix semaines, elle vint à la piscine deux fois par semaine, pour une leçon de natation semi-privée et une séance d'entraînement. Pour ces premières semaines, je comptais fortement sur son mari pour l'épauler. Elle passa la première leçon assise hors de l'eau, pendant que je donnais le cours aux quelques autres adultes de la classe. Vers la troisième leçon, après beaucoup d'efforts de persuasion, je parvins à lui faire mettre son maillot et à la faire descendre dans la partie la moins profonde de la piscine où, dans l'eau jusqu'à la taille, elle resta à regarder faire les autres en se retenant au rebord. Durant les premières semaines, elle se borna à regarder nager son mari et les autres, ne mouillant même pas son maillot. Je l'invitai à venir assister à mes leçons pour bébés et à observer ces tout petits pendant les premières étapes de leur cours. Je l'invitai aussi à venir voir les enfants de cinq ans apprendre la nage sur le dos. C'était, pour elle, une nécessité psychologique. Il me fallait commencer à abattre les barrières que sa peur de l'eau avait élevées en elle pendant quarante et un ans.

Durant ses propres leçons, elle observa de près ma façon de procéder avec les autres adultes qui avaient peur de l'eau. Elle se montrait tout à fait décidée à apprendre à nager, mais il n'était pas question de brusquer les choses. Extrêmement nerveuse, elle ne possédait absolument aucune confiance en soi. Je lui donnai des exercices à faire dans sa baignoire, comme s'étendre dans la baignoire, tête hors de l'eau, ou se tenir sous la douche. Deux expériences aquatiques des plus simples, mais dont elle n'avait jamais joui auparavant. Elle arriva à sa sixième leçon avec le sourire, m'apportant la bonne nouvelle qu'elle avait pris avec plaisir sa première douche. Elle avait brisé la glace. Peu à peu, je parvins à lui faire exécuter des exercices de battements, pendant qu'elle s'agrippait au rebord de la piscine. Je continuai de lui donner des exercices à faire chez elle, soit dans la baignoire, soit dans l'évier de la salle de bains.

Après quinze leçons et plusieurs séances d'entraînement, je réussis enfin à lui faire effectuer un glissement sur le ventre. Pour moi, il s'agissait seulement d'un début; mais, pour cette femme cherchant désespérément à vaincre sa peur de l'eau, cette glissade ventrale avait autant d'importance que la traversée de la Manche à la nage. Elle poursuivit ses leçons pendant une année entière, au cours de laquelle elle apprit la nage sur le dos, la nage de côté et le style libre. Récemment, j'ai reçu d'elle une carte postale en provenance de Mexico. Elle y passait des vacances et, pour la première fois de sa vie, pouvait goûter aux joies de l'océan.

Bien des adultes aimeraient à prendre des leçons de natation, mais pendant qu'ils élèvent leur famille le temps ou l'argent leur manque, de sorte qu'ils doivent s'abstenir de pratiquer ce sport magnifique. Une fois leurs enfants assez vieux pour qu'ils puissent disposer de quelques loisirs, ils s'imaginent qu'il est à présent trop tard pour apprendre.

Ma plus vieille élève commença son cours à soixante-quinze ans: une septuagénaire encore jeune et saine, qui continuait de travailler comme infirmière de nuit. N'est-ce pas remarquable? Durant tout son cours, elle s'avéra une élève exceptionnelle, si forte physiquement que je n'eus pas besoin d'apporter la moindre modification à mon cours pour elle. Lorsque je lui demandai pourquoi elle avait décidé, à soixante-quinze ans, de prendre des leçons de natation, elle répondit que jusque-là ses occupations ne lui en avaient pas laissé le temps. Mais, ayant toujours rêvé d'apprendre à nager, elle décida qu'elle n'avait attendu que trop longtemps. A l'occasion de son soixante-seizième anniversaire, je lui fis nager cinquante pieds [15 m], puis s'arrêter et souffler les bougies d'un gâteau flottant sur l'eau.

Mon plus vieil élève, croyez-le ou non, est mon père. Ayant toujours travaillé pour élever ses six enfants, mon père n'avait jamais eu l'occasion d'apprendre à nager, même quand son fils devint champion du monde. Pendant des années, je l'ai entendu dire: « Un jour, j'apprendrai à nager. » Quand il prit sa pension, à soixante-neuf ans, il disposa de tout le temps qu'il lui fallait. Il commença et interrompit ses leçons à plusieurs reprises. Le fait que j'étais son professeur lui rendait la chose difficile. J'avais l'air d'un mari en train de montrer à conduire à son épouse, de sorte que je dus demander à l'un de mes moniteurs de se charger des leçons de mon père. Même s'il n'a pas encore maîtrisé le crawl, du moins peut-il nager et s'amuser dans l'eau.

Le secret de l'enseignement de la natation aux adultes repose, pour la moitié, sur le désir véritable qu'ils éprouvent d'apprendre. Si un homme prend des leçons pour plaire à sa femme, ou vice versa, il peut éprouver moins d'ambition que s'il obéissait à un désir personnel. J'ai pu constater que les adultes apprenant à nager à la suite des recommandations de leur médecin devenaient d'excellents élèves, parce qu'ils considéraient leurs leçons comme un « traitement » indispensable. Leurs leçons de natation représentaient pour eux une « prescription » pour une santé meilleure.

Mes statistiques démontrent que plus de femmes que d'hommes s'inscrivent aux cours de natation. Cela ne signifie pas, bien sûr, que les femmes qui ne savent pas nager sont plus nombreuses. Il faut tout simplement en conclure que les hommes qui ne savent pas nager n'éprouvent aucun besoin d'apprendre, ou n'ont pas le temps de le faire. Mais la raison la plus fréquente provient de la fierté du mâle, de son ego l'empêchant d'admettre qu'il a peur de l'eau.

Je forme mes classes de façon que les débutants, les débutants avancés et les excellents nageurs forment trois groupes séparés: j'évite ainsi les blessures d'amour-propre. Autrement dit, un adulte qui a peur de l'eau ne trouvera dans sa classe que des gens éprouvant la même crainte que lui, de sorte que le groupe ne comportera aucun « champion » capable de se mettre en évidence. Toutes mes classes sont mixtes, et j'encourage fortement maris et femmes à apprendre à nager ensemble. Leurs leçons leur procurent l'occasion de sortir et de faire quelque chose ensemble et en compagnie d'autres couples, à tel point que plusieurs passent leur semaine à attendre leur soirée à la piscine.

J'ai aussi des classes de familles, où trois ou quatre familles prennent leurs leçons ensemble; entre autres avantages, cela permet aux familles à petit budget d'épargner le coût d'une gardienne.

Pour que chacun puisse bien comprendre les exercices de base et la manière correcte d'initier les adultes au milieu aquatique, je diviserai en étapes la matière enseignée. Dans la classe des adultes décidés et pressés d'aller à l'eau, je suggérerai que ceux qui éprouvent de la crainte ou une nervosité excessive portent un Swim Buoy durant les premières étapes ou aussi longtemps qu'il le faudra. Le Swim Buoy fera merveille en abolissant leur peur de couler. Tous les adultes doivent aussi porter un casque de bain. C'est là une mesure d'hygiène importante, sans compter que le casque résout les problèmes causés par les cheveux dans le visage. Même des cheveux courts deviennent, dans l'eau, un facteur nuisible pour le débutant. En effet, les cheveux absorbent l'eau et viennent pendre dans le visage du nageur et lui remplir d'eau les yeux et le nez. Alors, pour résumer: un casque de bain pour tous et un Swim Buoy pour les nerveux.

Première étape

La plupart des adultes qui s'inscrivent à des cours de natation le font pour deux raisons. La première est qu'ils peuvent apprendre à nager; la seconde est qu'ils considèrent la natation comme une forme d'exercice. Toutefois, au début de chaque leçon, je fais exécuter à toute la classe dix minutes d'exercices hors de l'eau.

Une fois ces exercices préliminaires terminés, tous s'asseoient sur le bord de la piscine. Ils placent leur derrière le plus près possible du bord, une partie de leur poids portant sur leurs bras tenus derrière eux. Les jambes droites et les orteils pointant légèrement vers l'intérieur, ils effectueront cinq minutes de battements. Cet exercice offre, entre autres, l'avantage de les habituer à la température de l'eau.

Puis, debout dans la piscine, ils se tiendront au rebord. Je passerai alors d'un élève à l'autre, pour leur montrer la façon correcte d'expirer dans l'eau. Ils doivent prendre une profonde inspiration hors de l'eau, puis abaisser les épaules et la tête sous la surface tout en expirant à la fois par le nez et par la bouche.

Au début de chaque leçon, la classe exécute dix minutes d'exercices hors de l'eau.

Les exercices de réchauffement hors de l'eau sont suivis par 5 minutes de battement des jambes. Les élèves sont assis au bord de la piscine.

L'expiration commence hors de l'eau pour se poursuivre durant les quelques secondes où la tête est immergée. L'élève cesse d'expirer seulement quand il a de nouveau la tête hors de l'eau. Toute la classe doit répéter cet exercice au moins vingt fois. Pour certains adultes, il semble très difficile de mettre la tête sous l'eau dès la première leçon. Plusieurs avaleront de l'eau et relèveront la tête en suffoquant, parce qu'ils inspiraient au lieu d'expirer. D'autres mettront leur tête sous l'eau, mais ils retiendront leur respiration et n'expireront pas du tout. Ceux qui ont vraiment peur de l'eau s'arrangeront pour n'enfoncer que leur menton sous la surface, et il faudra leur consacrer beaucoup d'attention pour les persuader d'enfoncer leur tête sous l'eau. Ordinairement, ils y parviendront vers la deuxième ou troisième leçon. Un autre défaut très commun chez les adultes est de trouver terriblement difficile le fait de garder les yeux ouverts dans l'eau. Il faut absolument insister pour qu'ils gardent les yeux ouverts. Ils devraient s'exercer à garder les yeux ouverts sous l'eau tout en s'entraînant à y expirer, à la maison, dans le bain ou dans le lavabo. Si nécessaire, ils devraient porter des lunettes protectrices.

Après leur avoir appris à expirer dans l'eau, je leur ferai exécuter le second exercice de battements. Alors que le premier avait

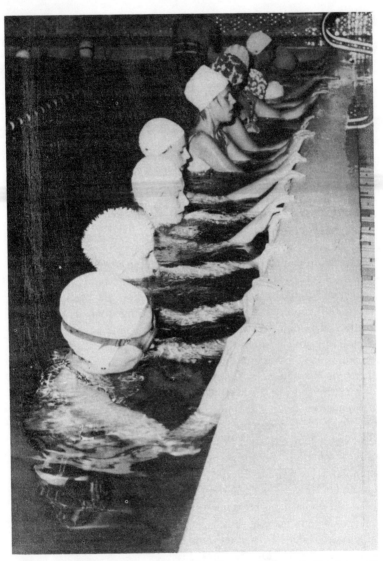

Vingt répétitions de respiration continuelle, en s'efforçant d'expirer surtout par la bouche et très peu par le nez.

Les jambes pratiquent un vigoureux battement pendant cinq minutes. Les jambes sont droites, les chevilles détendues et les orteils légèrement pointés vers l'extérieur.

lieu hors de l'eau, sur le bord de la piscine, le second s'effectuera dans l'eau. Les mains, rapprochées, tenant le rebord de la piscine, les coudes pliés et les épaules sous la surface, les élèves élèveront leurs jambes et effectueront de vigoureux battements pendant cinq minutes. Les jambes doivent demeurer droites, les chevilles détendues et les orteils légèrement pointés vers l'intérieur. Les jambes ne doivent à aucun moment sortir de l'eau. Lorsque ce second cinq minutes de battements sera terminé, je recommencerai l'exercice de respiration et ils devront faire des bulles encore vingt fois.

A ce moment, la classe de débutants accuse généralement beaucoup de fatigue. Ils n'ont pourtant fourni que dix minutes d'exercices hors de l'eau et deux séances de battements de cinq minutes chacune. Habituellement, ces séances de battements s'avèrent très fatigantes, les premières semaines. Le battement s'effectuant en gardant les jambes droites, le mouvement part des hanches et provoque un étirement des muscles du ventre et du dos. Vers la dixième leçon, ces mêmes adultes ont acquis des jambes si puissantes, qu'ils peuvent, si nécessaire, doubler leur temps de battements.

Deuxième étape

Les débutants adultes sont généralement trop nerveux, de sorte qu'ils ne parviennent pas à se détendre suffisamment pour flotter. C'est pourquoi, au cours des premières leçons, je n'essaierai pas de les faire flotter, quitte à y revenir plus tard. Pour flotter, il faut reposer sur l'eau, sans bouger; mais pour y parvenir, il faut se détendre. Les adultes imaginent que s'ils cessent de bouger, ils couleront. Plutôt que de perdre un temps précieux à les convaincre de l'absurdité de leur crainte, je commencerai immédiatement à leur enseigner le glissement sur le ventre.

Dans l'eau jusqu'à la taille, les adultes, l'un après l'autre, exécuteront les mouvements suivants:

Première position: Le nageur se tient debout, dans l'eau jusqu'à la taille. Il lève un pied et le place à plat, derrière lui, contre la paroi de la piscine.

Deuxième position: Il étend les bras devant lui et place les doigts de sa main droite sur ceux de sa main gauche, les pouces se croisant par-dessous.

Troisième position: Le nageur prend une profonde inspiration, se plie en avant jusqu'à avoir la tête dans l'eau et, poussant du pied sur la paroi de la piscine, s'éloigne du bord, laisse flotter ses jambes et effectue son glissement.

Je me tiendrai directement en face du nageur, l'encourageant le plus possible, et je saisirai ses mains pour l'aider à rétablir son équilibre. D'ordinaire, le débutant trouve très excitante cette première expérience. Il a senti, pour la première fois de sa vie, qu'il se mouvait dans l'eau. Le glissement se termine en pliant les genoux et en descendant les pieds vers le fond.

Les premières tentatives s'avéreront très difficiles pour les adultes qui croient pouvoir réussir leur glissement en gardant la tête hors de l'eau. Je connais quelques adultes qui ont eu besoin de six ou sept leçons pour se décider à mettre leur tête dans l'eau en exécutant leur glissement. Dans de tels cas, je tiens toujours leurs mains, non seulement pour les rassurer mais aussi pour les aider à se redresser s'ils se mettent à avaler de l'eau. Presque tous les débutants ferment les yeux durant leur glissement; c'est pourquoi ils perdent leur sens de la direction et leur équilibre quand il leur faut cesser le glissement et se remettre debout.

GLISSEMENT SUR LE VENTRE AVEC BATTEMENTS

Le nageur exécute le glissement tel que décrit plus haut. Au moment où ses pieds quittent le fond, le nageur commence à effectuer des battements alternatifs, gardant les jambes droites et ses battements juste sous la surface. Lors de ses premières tentatives, l'adulte devrait pouvoir maintenir son glissement avec battements sur une longueur de 15 à 20 pieds [4,5 à 6 m].

On aurait avantage à répéter plusieurs fois cet exercice. On peut grouper deux par deux les débutants les plus braves, l'un nageant vers l'autre, alternativement. Cela me permettra de consacrer quelques minutes supplémentaires aux moins braves.

Il importe de se rappeler que chaque nageur, lorsqu'il commence, devrait s'entraîner à tenir ses mains l'une dans l'autre, en plaçant sa main droite sur sa main gauche. Un facteur psychologique intervient ici. En effet, le nageur n'éprouvant pas encore beaucoup de confiance, il aimerait se retenir à mes mains ou, en fait, à n'importe quoi. Si je vois qu'il a vraiment peur, je lui viendrai en aide; mais si je constate qu'il peut s'en tirer seul, j'estime alors que le fait de tenir sa propre main peut suffire à le rassurer. L'expérience m'a appris que, si je demande à un débutant d'exécuter un glissement en tenant les mains écartées l'une de l'autre, il se met à les agiter de tous côtés. S'il tient ses mains l'une dans l'autre, je pourrai plus facilement les saisir, à la fin de son glissement, pour l'aider à reprendre son équilibre et à se redresser.

Troisième étape

A présent que mes adultes se sont habitués à mettre la tête sous l'eau et à garder les yeux ouverts, je puis leur apprendre à flotter confortablement, en quelques minutes. Chaque nageur peut maintenant comprendre et sentir ce qu'est l'art de flotter. Bien des gens n'arrivent pas à comprendre que l'eau les supportera nécessairement s'ils se détendent et se laissent aller. Il va de soi que s'ils se crispent ou font des mouvements désordonnés, l'eau ne les supportera pas et qu'ils couleront.

Dans l'eau jusqu'à la taille, ils devront se livrer à un petit jeu très simple. Je placerai une rondelle de hockey au fond de la piscine et, un par un, ils devront tenter d'aller la prendre. Je leur dirai de se plier en avant, de prendre une profonde inspiration, de retenir leur souffle et de mettre leur tête dans l'eau en essayant, avec les deux mains *ensemble,* de saisir la rondelle. A ce moment, les pieds quitteront le fond de la piscine et, puisque le nageur retient sa respiration, son dos restera hors de l'eau . . . et voilà! il se retrouvera soudain en train de flotter.

En leur demandant d'aller prendre un objet, je fais d'une pierre deux coups. D'abord, le nageur flotte sans pouvoir s'en rendre compte; de plus, il s'aperçoit qu'il n'est pas facile de couler, même dans peu d'eau. Une séance de questions-réponses suit cette expérience. La première question qui leur vient aux lèvres est: « Comment se fait-il que la rondelle soit juste au bout de mes doigts sans que je puisse l'atteindre? » La réponse est des plus simples. En retenant sa respiration, on transforme son corps en une sorte de flotteur; c'est pourquoi il s'avère impossible de couler tant que les poumons restent pleins d'air. C'est le moment idéal de leur parler de leur peur de couler. Ils viennent juste d'expérimenter l'impossibilité de couler pour aller chercher un objet. Alors, s'ils ne parviennent pas à atteindre le fond de la piscine dans une faible profondeur, pourquoi auraient-ils peur de couler en eau profonde?

Pour compléter l'expérience, je vais jeter la rondelle dans la partie profonde de la piscine. Je vais faire exactement ce qu'ils ont fait. Prenant une grande inspiration et la retenant, je demeure incapable de couler ou de plonger pour atteindre l'objet. Je leur demanderai maintenant d'observer les bulles remontant à la surface, à mesure que j'expire, chassant l'air de mes poumons pour descendre chercher la rondelle et revenir. Cette expérience a pour but de leur démontrer que notre corps ne coule pas naturellement, mais que c'est nous qui l'y aidons.

Quatrième étape

L'adulte commence à flotter sur le dos en prenant une position dorsale correcte, les bras bien détendus de chaque côté et les jambes allongées, droites, à la surface de l'eau. Je soutiendrai sa tête et, graduellement, le laisserai aller pendant quelques secondes. Avec un peu d'entraînement, il parviendra aisément à flotter de plus en plus longtemps.

LE GLISSEMENT SUR LE DOS

Première position: Le nageur s'agrippe au rebord intérieur de la piscine, les genoux pliés et les pieds à plat sur la paroi, la tête rejetée en arrière dans l'eau, les yeux ouverts et regardant le plafond.

Deuxième position: Le nageur lâche le rebord de la piscine. Ses bras flottent de chaque côté de son corps, tandis qu'il pousse de ses pieds sur la paroi et s'éloigne, jambes allongées.

Pour se redresser à la fin du glissement, le nageur plie les genoux et les ramène vers sa poitrine; il abaisse, de chaque côté de lui, ses bras étendus; il lève la tête au-dessus de l'eau et abaisse ses pieds pour toucher le fond.

GLISSEMENT SUR LE DOS AVEC BATTEMENTS

Troisième position: La nageur commence à effectuer des battements juste avant que son glissement ne s'arrête. Le battement sera détendu, partant de la hanche et sans plier le genou. Les chevilles doivent rester tendues, et les orteils légèrement tournés vers l'intérieur. Avec un peu d'entraînement, toute la classe pourra bientôt parcourir de cette façon une longueur de piscine.

Le nageur aura la tête hors de l'eau et gardera les yeux ouverts, sa respiration s'effectuant à peu près normalement. Si le nageur retient sa respiration pendant ses battements sur le dos, il se fatiguera vite et s'avérera incapable de parcourir sa longueur de piscine.

Cinquième étape

Nous avons déjà vu, à ce stade, les exercices de battements, les glissements sur le ventre et sur le dos avec battements. Les moins courageux ont utilisé un Swim Buoy. A présent, ils peuvent continuer à le porter, mais je puis, de mon côté, le dégonfler peu à peu, à mesure que je vois leur confiance augmenter.

Un moment très important du cours est le battement de jambes sur une longueur de piscine. Mon assistant — avec le casque foncé — est dans l'eau pour aider ceux qui en ont besoin.

Je leur remettrai maintenant des planches flottantes. Tenant la planche près du sommet, une main de chaque côté, le nageur gardera les bras droits et la tête hors de l'eau, ses yeux regardant droit devant lui. Un par un, ils s'éloigneront du bord et, tenant leur planche, traverseront en battant des jambes une largeur de piscine. L'adulte répétera cet exercice jusqu'à ce qu'il obtienne une vitesse suffisante.

C'est maintenant qu'arrive la partie la plus importante du cours. J'amènerai tous les adultes dans la partie profonde de la piscine, et ils y vivront leur première expérience en eau profonde. Je leur enseignerai d'abord à entrer dans l'eau à partir de la position assise. Tenant leur planche flottante, ils se pencheront graduellement vers l'avant. Au moment où ils se sentiront quitter le bord, ils pousseront fortement avec leurs pieds contre la paroi de la piscine. La planche frappera l'eau la première. Le nageur tiendra la tête haute, hors de l'eau. Le corps s'étendra sur l'eau et

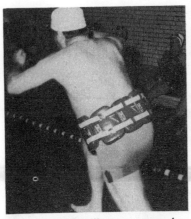 

Ce père de famille a commencé ses cours pour faire plaisir à ses deux fils. Il saute dans l'eau profonde pour la première fois de sa vie. Dans très peu de temps, il sera capable de faire le même saut sans sa ceinture de natation.

Après le saut à l'eau, il nage une longueur de piscine, toujours supporté par sa ceinture de natation.

glissera sur une distance d'environ 10 pieds [3 m], après quoi le nageur commencera lentement son battement de jambes qui le propulsera jusqu'au bout le moins profond de la piscine. Je resterai dans l'eau pour lui venir en aide si nécessaire. L'adaptation à l'eau profonde se fait graduellement. Cet exercice de battements avec la planche partira toujours de sa partie profonde et on la répétera à chaque leçon, jusqu'à ce que les adultes puissent l'exécuter avec beaucoup de confiance.

Maintenant que la classe se sent tout à fait à l'aise dans l'eau, le cours de débutants est terminé. Les élèves pourront par la suite accéder à des cours de natation avancée, où ils apprendront la nage sur le dos, le style libre, la brasse, la nage de côté, la nage sur le dos élémentaire et même la nage papillon: tout dépend des besoins et des goûts de chaque adulte.

Je ne décrirai pas les méthodes d'enseignement de ces nages, puisque pour les adultes elles correspondent à peu près à celles

Les exercices de style libre (crawl) pratiqués hors de l'eau. La coordination du mouvement de la tête, de la respiration et du mouvement des bras est nécessaire.

que j'utilise pour les enfants. Le lecteur peut donc consulter les chapitres précédents.

Dans l'enseignement aux adultes, je recommanderai le port du Swim Buoy aux débutants, et même celui de palmes si nécessaire. Plusieurs adultes ont les chevilles raides, et ils éprouvent beaucoup de difficultés à tendre le pied pour pointer les orteils dans l'eau. Pour ceux-là, les palmes constituent une aide essentielle. Ceux qui sont affligés de jambes faibles trouveront aussi les palmes très pratiques.

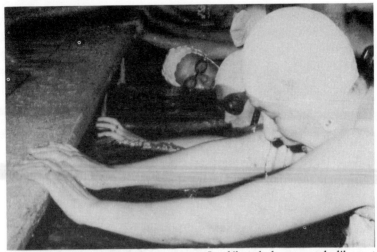

Le début de la nage style libre est pratiqué, dans l'eau, en attrapant une planche.

Les exercices de respiration et de coordination des bras et de la tête sont également pratiqués dans l'eau.

Après tous les exercices de base du style libre, une élève pratique cette nage en coordonnant le battement des jambes, le mouvement des bras et, surtout, la respiration. La coordination réussie, cette dame a complété une longueur de piscine. Maintenant qu'elle a maîtrisé le style libre, je commencerai à enlever les cubes de sa ceinture de natation.

L'initiation des bons nageurs à la plongée sous-marine

Le bon nageur qui recherche un peu d'aventure sera sans doute comblé en apprenant la plongée. Plonger avec masque et tuba ne représente aucun danger, à condition que l'on ait appris correctement à le faire — d'autant plus que ce sport peut fort bien se pratiquer dans de faibles profondeurs. J'ai appris à plonger à des enfants qui n'avaient que trois ans. Mon fils conserve précieusement une collection de coquillages qu'il a rapportés lui-même du fond de l'océan, aux Bahamas, alors qu'il avait quatre ans. Il avait utilisé, à cette occasion, des palmes, un masque et un tuba.

Lors de ce même séjour aux Bahamas, ma fille, alors âgée de sept ans, passa bien des heures sous l'eau en ma compagnie. Elle s'émerveillait à la vue de cette vie sous-marine, — des centaines d'espèces de poissons aux couleurs vives, des coraux, des forêts de plantes étranges. Ils doivent être rares, les enfants de sept ans qui peuvent dire, comme elle, avoir vu nager sous eux un barracuda de 3 pieds [90 cm], une raie large de 8 pieds [2,4 cm] ou une tortue de 300 livres [135 kg].

Comme pour la natation, on ne devrait jamais faire de plongée sous-marine seul. Les plus grandes précautions devraient toujours entourer la pratique des activités aquatiques.

ACHETEZ DU BON MATÉRIEL

En plongée sous-marine, le choix d'un matériel de qualité apparaît comme un facteur d'importance vitale. Insistez sur la qualité et utilisez votre équipement correctement. Le meilleur

Préparation pour la plongée dans la mer.

Régent, à quatre ans, étudie la vie marine en toute confiance sous ma surveillance.

équipement de plongée n'est pas nécessairement le plus cher. Vous devez d'abord rechercher le confort et un bon ajustement, surtout dans le cas des palmes, du masque et du tuba.

Le MASQUE doit s'ajuster exactement au visage, sans le moindre jeu. C'est là une chose qu'on peut aisément vérifier. Mettez le masque sur votre visage, en recouvrant les yeux et le nez. Appuyez légèrement avec les doigts et respirez par le nez. Un masque bien ajusté devrait alors tenir tout seul, sans être attaché.

Le TUBA devrait s'ajuster confortablement dans la bouche. L'embout peut être raide ou élastique; c'est une question de préférence personnelle. Muni d'un tuba, le nageur peut rester à la surface de l'eau pendant des heures, sans avoir besoin de relever la tête pour respirer. L'embout est dans la bouche, et l'autre extrémité du tuba sort de l'eau. Le nageur respire normalement par la bouche. Si de l'eau pénètre dans le tuba, le nageur n'a qu'à souffler fortement pour nettoyer le tube.

Les PALMES devraient également bien s'ajuster aux pieds. Trop grandes, elles vous sortiront des pieds et vous devrez probablement nager en gardant les orteils retroussés pour les retenir. Les orteils et le pied doivent s'y trouver à l'aise, sans quoi vous risquez d'avoir des crampes. N'achetez que des palmes qui vous vont bien. Si elles vous irritent la peau, portez sous vos palmes une paire de bas de laine ou de bottillons de caoutchouc-mousse.

Voici quelques conseils extrêmement importants à l'intention de ceux qui veulent apprendre à plonger avec un tuba:

Apprenez correctement, en vous inscrivant à des cours de plongée donnés par des instructeurs qualifiés.

Achetez un équipement de bonne qualité et bien ajusté. Considérez votre équipement comme quelque chose de personnel: ne le prêtez jamais.

Pour prévenir l'embuement de votre masque, achetez un liquide spécial anti-buée dont vous enduisez votre vitre, ou frottez-en l'intérieur et l'extérieur avec de la salive. Rincez votre masque avant de le mettre.

Exercez-vous à respirer par votre tuba pendant que vous vous préparez. Vous devez prendre l'habitude de respirer par la bouche seulement.

Exercez-vous à chasser l'eau de votre tuba en y soufflant fortement et brusquement.

Apprenez à nager, d'abord avec les palmes, puis, peu à peu, avec le masque et le tuba.

Ne vous jetez jamais à l'eau tête première quand vous portez votre masque. Si vous le pouvez, entrez graduellement dans l'eau; si vous êtes à bord d'une embarcation, laissez-vous tomber à l'eau sur le dos.

Commencez toujours par vous entraîner dans une piscine et ne vous risquez jamais en eau profonde, loin de la rive, que ce soit dans un lac ou dans l'océan.

N'utilisez pas sans entraînement préalable de ceinture de lest, de scaphandre autonome, de couteau ou d'arbalète. Il s'agit là d'un équipement dangereux, dont l'usage demande entraînement et habileté.

SOUVENEZ-VOUS que le grand problème de l'homme en plongée provient du fait qu'il n'est pas constitué pour aller sous l'eau en toute sécurité: ses activités sous-marines doivent demeurer limitées.

Le sauvetage

(Ce que tous devraient savoir)

Les sauveteurs, tels qu'on peut les voir au cinéma, ont toujours l'apparence de Tarzan et nagent comme des champions olympiques. Les sauveteurs affectés aux piscines publiques et aux plages doivent posséder une grande compétence, fruit d'un long entraînement. Ils s'avèrent essentiels pour augmenter et enseigner la sécurité aquatique.

Cette photo nous montre l'immense quantité d'eau que contient une piscine résidentielle, occasion d'une mort certaine pour des enfants non familiers avec l'eau. Johanne, malgré son jeune âge (15 mois), a donné une démonstration de survie en flottant 20 minutes sur le dos devant des milliers de personnes. C'est le devoir des parents de donner à leurs enfants la possibilité de se débrouiller et de se sauver en cas d'accidents.

Toutefois, chaque piscine familiale ne dispose pas d'un sauveteur pour veiller sur les nageurs. C'est pourquoi il importe que tous, même les jeunes enfants, apprennent quoi faire en cas d'urgence. IL N'EST PAS NÉCESSAIRE D'ÊTRE SOI-MÊME UN BON NAGEUR POUR SAUVER LA VIE DE QUELQU'UN. Bien des gens peuvent sauver quelqu'un en restant eux-mêmes hors de l'eau. Bien sûr, si une embarcation a chaviré à un demi-mille [800 m] de la rive et s'il n'y a personne dans les parages, il faudra un nageur exceptionnellement fort pour sauver une autre personne sans mettre sa propre vie en danger. D'autre part, dans le cas d'un accident survenant dans une piscine, on peut presque toujours accomplir un sauvetage sans se jeter à l'eau soi-même, en tendant une planche, une perche, un flotteur ou, en fait, tout objet auquel la personne puisse s'accrocher pour qu'on la tire jusqu'au bord.

Chaque année, des milliers de gens meurent noyés. Environ le quart de ces noyades résulte d'accidents en embarcations.

CONSEILS À APPRENDRE ET À RETENIR

1 — Si votre embarcation chavire, ne vous en éloignez pas. N'essayez jamais de gagner la rive à la nage. Il est difficile d'évaluer la distance sur un lac, et la rive peut être plus éloignée qu'elle ne paraît.

2 — Ne gaspillez pas vos forces à crier quand il n'y a personne dans les parages.

3 — Ne vous préoccupez que de flotter avec l'embarcation.

4 — Si vous êtes partiellement immergé dans de l'eau froide, bougez continuellement pour activer votre circulation.

5 — Si vous ne cédez pas à la panique, vous parviendrez à surnager plusieurs heures et même plusieurs jours, jusqu'à ce qu'on se porte à votre secours.

6 — Un canot chaviré peut porter une charge plus lourde sous l'eau qu'en flottant à la surface.

7 — Munissez-vous de gilets de sauvetage — il devrait y en avoir dans toute embarcation — et endossez le vôtre *avant* de quitter la rive.

8 — Si vous portez de lourds vêtements (bottes, épais coupe-vent, etc.), enlevez le superflu: vos vêtements étant mouillés, ils ne vous tiendront pas au chaud, de sorte que vous avez avantage à vous débarrasser d'un poids inutile.

9 — S'il vous faut effectuer un sauvetage à partir d'une embarcation, ne vous jetez jamais à l'eau. Tendez plutôt une rame ou un gilet de sauvetage à la personne en difficulté, puis tirez-la jusqu'à vous. Veillez à ne pas compromettre l'équilibre de l'embarcation en l'aidant à grimper à bord.

10 — Si vous devez quitter l'embarcation pour aller au secours d'une personne inconsciente, portez votre gilet de sauvetage et munissez-vous d'un second gilet — ou de n'importe quel autre objet qui puisse flotter — que vous pourrez utiliser pour soutenir la victime. Souvenez-vous qu'il se peut fort bien que vous ayez à pratiquer la respiration artificielle *dans l'eau*.

11 — De nombreuses noyades surviennent lorsque des gens tombent ou sont poussés dans l'eau. Dans une telle situation, vous pouvez devenir un héros sans même avoir besoin de vous jeter à l'eau. Couchez-vous à plat ventre sur le quai ou au bord de la piscine et tendez une serviette, une canne à pêche, une rame, une chemise ou n'importe quoi — ce qui importe, c'est de pouvoir atteindre la victime. Si vous ne trouvez rien à lui tendre, il peut alors s'avérer nécessaire que vous descendiez et tendiez une jambe vers elle, tout en vous retenant solidement au bord. Laisser saisir sa jambe ou sa main par une personne qui se noie peut être très dangereux: vous risquez que la victime ne vous en-

traîne à l'eau avec elle. Celui qui se noie lutte pour survivre, et il peut s'accrocher désespérément à vous et vous entraîner avec lui . . . vous plaçant, évidemment, dans une situation difficile.

12 — Si le fond descend graduellement et si vous êtes plusieurs (supposons que personne, parmi vous, ne sait très bien nager), formez une chaîne humaine pour approcher la victime, puis, si possible, tendez-lui quelque chose à saisir.

13 — Evitez de nager en eau polluée, dans des rivières à fort courant, dans des eaux parsemées de rochers et dans de l'eau très froide.

14 — Ne nagez que sous surveillance. S'il s'agit d'un endroit sans sauveteurs, amenez quelqu'un nager avec vous. Ne nagez jamais seul.

15 — Ne courez pas sur un bord de piscine glissant. Ne vous amusez jamais à vous pousser près de l'eau.

16 — Ne flânez pas près des tremplins ou des échelles.

17 — Ne plongez pas en eau profonde, ni dans des eaux inconnues.

18 — Ne retenez jamais un autre nageur sous l'eau.

La respiration artificielle

Savoir quand et comment donner la respiration artificielle devrait faire partie de l'éducation de chacun. La respiration artificielle ne s'applique pas seulement aux accidents aquatiques: on s'en sert fréquemment pour sauver la vie de victimes d'incendies, de malades, d'accidentés et de noyés. La méthode directe de respiration artificielle est très simple à apprendre, et je pourrais citer plusieurs exemples où de jeunes enfants d'âge scolaire ont pu administrer la respiration artificielle avec succès, jusqu'à l'arrivée d'adultes ou d'un secours médical.

La méthode de respiration artificielle qu'on utilise le plus aujourd'hui est le bouche-à-bouche — la méthode directe.

LA RESPIRATION ARTIFICIELLE
DANS LES CAS DE NOYADE

La mort par noyade se produit à la suite d'un manque d'air affectant une personne dont la bouche et le nez — ou le corps tout entier — sont submergés dans l'eau ou dans tout autre liquide. Ce manque d'air produit l'asphyxie, qui peut survenir de deux façons:

1 — La glotte se ferme spasmodiquement au moment où l'eau pénètre dans la bouche, le nez ou la gorge, de sorte que l'air ne parvient plus aux poumons. Pour cette raison, très peu d'eau pénètre dans les poumons, à moins que la victime ne demeure submergée assez longtemps.

2 — L'asphyxie survient parce que l'eau envahit réellement les voies respiratoires. Une personne qui se noie a besoin de respirer en se débattant pour surnager et en appelant à l'aide, de sorte qu'elle absorbe dans ses poumons un mélange d'air et d'eau. Comme elle inspire de plus en plus d'eau et de moins en moins d'air, la personne succombe graduellement à l'asphyxie.

Dans un cas comme dans l'autre, le corps coule sous la surface, toute respiration cesse et, environ trois minutes plus tard, le cerveau commence à subir des dommages. Le cœur s'arrête à peu près deux minutes plus tard.

Un cadavre de noyé présente une pâleur et une décoloration du visage et de toute la surface du corps. La bouche et les narines sont couvertes d'écume; les poumons et l'estomac contiennent de l'eau.

La noyade ne survient pas toujours rapidement. Une personne en danger, et qui ne sait pas nager, peut se débattre longtemps. Si elle parvient à maintenir son visage au-dessus de la surface pour respirer, elle a de bonnes chances de survivre jusqu'à l'arrivée des secours. La victime peut avaler une grande quantité d'eau, mais cela ne signifie pas que l'eau s'accumule dans ses poumons: l'estomac seul se remplit. Ce n'est qu'après quelques minutes sous l'eau que la glotte cesse de fonctionner par manque d'oxygène et que de l'eau pénètre dans les poumons, interrompant toute fonction respiratoire. Contrairement à la croyance populaire qui veut que la respiration artificielle ait pour but de pomper l'eau hors des poumons, cette opération est destinée à y insuffler de l'oxygène. Il y a inconscience, et non pas absence de vie. La respiration artificielle introduit de l'oxygène dans le sang. Ce sang peut atteindre les centres vitaux et le cœur, et on peut ainsi rétablir une respiration normale. UNE VIE A ÉTÉ SAUVÉE.

Il n'est pas nécessaire d'appliquer la respiration artificielle à une personne consciente. Certaines victimes peuvent mourir pendant la respiration artificielle, mais puisque la personne qui l'administre ne sait pas reconnaître de façon absolue un décès, il lui faut poursuivre ses efforts jusqu'à l'arrivée d'un médecin.

La respiration artificielle bouche-à-bouche

1 — Les secondes étant précieuses, la respiration artificielle doit être appliquée sans délai. Placez la victime sur le dos.

2 — Tournez sa tête de côté, ouvrez sa bouche et, avec vos doigts, retirez-en tout ce qui pourrait l'obstruer — eau, mucus, saletés, etc.

3 — Glissez une main sous le cou de la victime et soulevez-le, rejetant sa tête vers l'arrière le plus possible. Cela est très important pour bien dégager les voies respiratoires.

4 — Ouvrez la bouche de la victime. D'une main, pincez ses narines, tandis que de l'autre vous tenez son menton pour garder sa bouche ouverte.

5 — Assurez-vous que vous pincez bien ses narines, et soufflez dans la bouche de la victime, en appliquant votre bouche sur la sienne. Il n'y a pas de temps à perdre. Vous devez souffler dans sa bouche à toutes les quatre ou cinq secondes. Ne relâchez votre prise sur ses narines qu'après chaque souffle dans sa bouche. Mais, pendant que vous soufflez, les narines doivent rester pincées, sans quoi tout l'air que vous soufflez ressortirait par le nez sans avoir atteint les poumons.

6 — Après avoir soufflé dans la bouche de la victime, relâchez ses narines et écoutez sortir l'air. De plus, si l'air a bien empli les poumons, vous pourrez voir la poitrine se soulever légèrement.

7 — Si vous n'entendez pas d'air ressortir après que vous l'ayez insufflée, vérifiez rapidement la bouche encore une fois, de même que la position de la tête. Essayez de nouveau.

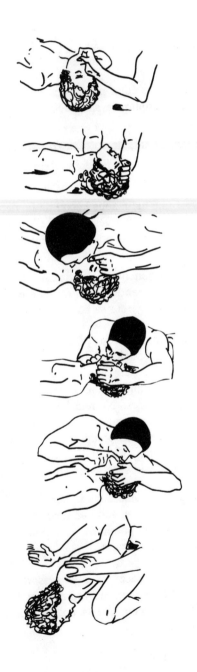

8 — S'il le faut, tournez vite la victime sur le ventre et donnez-lui un coup sec entre les épaules. Il se peut que quelque chose bloque les voies respiratoires.

9 — Une fois que vous avez commencé à donner la respiration artificielle et que la victime réagit, continuez jusqu'à ce qu'elle soit consciente et puisse respirer d'elle-même.

10 — Dans certains cas, on a donné la respiration artificielle pendant des heures, avant que la victime commence à respirer seule. S'il y a des gens alentour, il peut s'avérer nécessaire de se relayer pour donner la respiration artificielle.

N.B. — Dans le cas de bébés ou de jeunes enfants, il vaut mieux couvrir à la fois la bouche et le nez avec votre bouche. Le rythme respiratoire des enfants étant plus rapide que celui des adultes, vous devez leur insuffler de l'air au moins à toutes les trois secondes.

Achevé d'imprimer sur les presses de
L'IMPRIMERIE ELECTRA*
pour
LES ÉDITIONS DE L'HOMME LTÉE
*Division de l'A.D.P. Inc.

Imprimé au Canada/Printed in Canada

Ouvrages parus aux ÉDITIONS DE L'HOMME

ALIMENTATION — SANTÉ

* **Allergies, Les,** Dr Pierre Delorme
* **Apprenez à connaître vos médicaments,** René Poitevin
* **Art de vivre en bonne santé, L',** Dr Wilfrid Leblond
* **Bien dormir,** Dr James C. Paupst
* **Bien manger à bon compte,** Jocelyne Gauvin
* **Boîte à lunch, La,** Louise Lambert-Lagacé
* **Cellulite, La,** Dr Gérard J. Léonard
  Comment nourrir son enfant, Louise Lambert-Lagacé
  Congélation des aliments, La, Suzanne Lapointe
* **Conseils de mon médecin de famille, Les,** Dr Maurice Lauzon
* **Contrôlez votre poids,** Dr Jean-Paul Ostiguy
* **Desserts diététiques,** Claude Poliquin
* **Diététique dans la vie quotidienne, La,** Louise Lambert-Lagacé
  En attendant notre enfant, Yvette Pratte-Marchessault
* **Face-lifting par l'exercice, Le,** Senta Maria Rungé

* **Femme enceinte, La,** Dr Robert A. Bradley
* **Guérir sans risques,** Dr Émile Plisnier
* **Guide des premiers soins,** Dr Joël Hartley
  Maigrir, un nouveau régime... de vie, Edwin Bayrd
* **Maman et son nouveau-né, La,** Trude Sekely
** **Mangez ce qui vous chante,** Dr Leonard Pearson et Dr Lillian Dangott
* **Médecine esthétique, La,** Dr Guylaine Lanctôt
  Menu de santé, Louise Lambert-Lagacé
* **Pour bébé, le sein ou le biberon,** Yvette Pratte-Marchessault
* **Pour vous future maman,** Trude Sekely
* **Recettes pour aider à maigrir,** Dr Jean-Paul Ostiguy
  Régimes pour maigrir, Marie-José Beaudoin
* **Soignez-vous par le vin,** Dr E.A. Maury
  Sport — santé et nutrition, Dr Jean-Paul Ostiguy

ART CULINAIRE

* **Agneau, L',** Jehane Benoit
* **Art d'apprêter les restes, L',** Suzanne Lapointe
  Art de la cuisine chinoise, L', Stella Chan
* **Bonne table, La,** Juliette Huot
* **Brasserie la mère Clavet vous présente ses recettes, La,** Léo Godon
* **Canapés et amuse-gueule**

* **Cocktails de Jacques Normand, Les,** Jacques Normand
* **Confitures, Les,** Misette Godard
  Conserves, Les, Soeur Berthe
* **Cuisine aux herbes, La,**
* **Cuisine chinoise, La,** Lizette Gervais
* **Cuisine de maman Lapointe, La,** Suzanne Lapointe
* **Cuisine de Pol Martin, La,** Pol Martin

* **Cuisine des 4 saisons, La,** Hélène Durand-Laroche
* **Cuisine en plein air, La,** Hélène Doucet-Leduc
* **Cuisine facile aux micro-ondes,** Pauline St-Amour
  Cuisine micro-ondes, La, Jehane Benoit
* **Cuisiner avec le robot gourmand,** Pol Martin
* **Du potager à la table,** Paul Pouliot et Pol Martin
* **En cuisinant de 5 à 6,** Juliette Huot
* **Fondue et barbecue**
  Fondues et flambées de maman Lapointe, S. et L. Lapointe
* **Fruits, Les,** John Goode
* **Gastronomie au Québec, La,** Abel Benquet
* **Grande cuisine au Pernod, La,** Suzanne Lapointe
* **Grillades, Les**
* **Hors-d'oeuvre, salades et buffets froids,** Louis Dubois
* **Légumes, Les,** John Goode
* **Liqueurs et philtres d'amour,** Hélène Morasse
* **Ma cuisine maison,** Jehane Benoit

* **Madame reçoit,** Hélène Durand-Laroche
* **Omelettes, 101,** Marycette Claude
* **Pâtisserie, La,** Maurice-Marie Bellot
* **Petite et grande cuisine végétarienne,** Manon Bédard
* **Poissons et crustacés**
* **Poissons et fruits de mer,** Soeur Berthe
  Poulet à toutes les sauces, Le, Monique Thyraud de Vosjoli
* **Recettes à la bière des grandes cuisines Molson, Les,** Marcel L. Beaulieu
* **Recettes au blender,** Juliette Huot
* **Recettes de gibier,** Suzanne Lapointe
* **Recettes de Juliette, Les,** Juliette Huot
* **Recettes de maman, Les,** Suzanne Lapointe
* **Sauces pour tous les plats,** Huguette Gaudette et Suzanne Colas
  Techniques culinaires, Les, Soeur Berthe Sansregret
* **Vos vedettes et leurs recettes,** Gisèle Dufour et Gérard Poirier
* **Y'a du soleil dans votre assiette,** Francine Georget

DOCUMENTS — BIOGRAPHIES

* **Architecture traditionnelle au Québec, L',** Yves Laframboise
* **Art traditionnel au Québec, L',** M. Lessard et H. Marquis
* **Artisanat québécois 1,** Cyril Simard
* **Artisanat québécois 2,** Cyril Simard
* **Artisanat québécois 3,** Cyril Simard
* **Bien-pensants, Les,** Pierre Breton
* **Chanson québécoise, La,** Benoît L'Herbier
* **Charlebois, qui es-tu?** Benoit L'Herbier
* **Comité, Le,** M. et P. Thyraud de Vosjoli
* **Deux innocents en Chine rouge,** Jacques Hébert et Pierre E. Trudeau
* **Duplessis, tome 1: L'ascension,** Conrad Black
* **Duplessis, tome 2: Le pouvoir,** Conrad Black
* **Dynastie des Bronfman, La,** Peter C. Newman
* **Écoles de rang au Québec, Les,** Jacques Dorion
* **Égalité ou indépendance,** Daniel Johnson

  Enfants du divorce, Les, Micheline Lachance
* **Envol — Départ pour le début du monde,** Daniel Kemp
* **Épaves du Saint-Laurent, Les,** Jean Lafrance
  Ermite, L', T. Lobsang Rampa
* **Fabuleux Onassis, Le,** Christian Cafarakis
* **Filière canadienne, La,** Jean-Pierre Charbonneau
* **Frère André, Le,** Micheline Lachance
* **Grand livre des antiquités, Le,** K. Belle et J. et E. Smith
* **Homme et sa mission, Un,** Le Cardinal Léger en Afrique
* **Information voyage,** Robert Viau et Jean Daunais
* **Insolences du Frère Untel, Les,** Frère Untel
* **Lamia,** P.L. Thyraud de Vosjoli
* **Louis Riel,** Rosenstock, Adair et Moore
* **Maison traditionnelle au Québec, La,** Michel Lessard et Gilles Vilandré

ENCYCLOPÉDIES

LANGUE *

LITTÉRATURE *

Carnivores, Les, François Moreau
Carré Saint-Louis, Jean-Jules Richard
Cent pas dans ma tête, Les, Pierre Dudan
Centre-ville, Jean-Jules Richard
Chez les termites, Madeleine Ouellette-Michalska
Commettants de Caridad, Les, Yves Thériault
Cul-de-sac, Yves Thériault
D'un mur à l'autre, Paul-André Bibeau
Danka, Marcel Godin
Débarque, La, Raymond Plante
Demi-civilisés, Les, Jean-C. Harvey
Dernier havre, Le, Yves Thériault
Domaine Cassaubon, Le, Gilbert Langlois
Doux mal, Le, Andrée Maillet
Emprise, L', Gaétan Brulotte
Engrenage, L', Claudine Numainville
En hommage aux araignées, Esther Rochon
Exodus U.K., Richard Rohmer
Exonération, Richard Rohmer
Faites de beaux rêves, Jacques Poulin
Fréquences interdites, Paul-André Bibeau
Fuite immobile, La, Gilles Archambault
J'parle tout seul quand Jean Narrache, Émile Coderre
Jeu des saisons, Le, M. Ouellette-Michalska

Joey et son 29e meutre, Joey
Joey tue, Joey
Joey, tueur à gages, Joey
Marche des grands cocus, La, Roger Fournier
Monde aime mieux..., Le, Clémence DesRochers
Monsieur Isaac, G. Racette et N. de Bellefeuille
Mourir en automne, Claude DeCotret
N'tsuk, Yves Thériault
Neuf jours de haine, Jean-Jules Richard
New Medea, Monique Bosco
Ossature, L', Robert Morency
Outaragasipi, L', Claude Jasmin
Petite fleur du Vietnam, La, Clémont Gaumont
Pièges, Jean-Jules Richard
Porte silence, Paul-André Bibeau
Requiem pour un père, François Moreau
Séparation, Richard Rohmer
Si tu savais..., Georges Dor
Temps du carcajou, Les, Yves Thériault
Tête blanche, Maire-Claire Blais
Trou, Le, Sylvain Chapdelaine
Ultimatum, Richard Rohmer
Valérie, Yves Thériault
Visages de l'enfance, Les, Dominique Blondeau
Vogue, La, Pierre Jeancard

LIVRES PRATIQUES — LOISIRS

* **Abris fiscaux, Les,** Robert Pouliot et al.
* **Améliorons notre bridge,** Charles A. Durand
* **Animaux, Les — La p'tite ferme,** Jean-Claude Trait
* **Appareils électro-ménagers, Les**
  Art du dressage de défense et d'attaque, L', Gilles Chartier
* **Bien nourrir son chat,** Christian d'Orangeville
* **Bien nourrir son chien,** Christian d'Orangeville
* **Bonnes idées de maman Lapointe, Les,** Lucette Lapointe
* **Bricolage, Le,** Jean-Marc Doré
  Bridge, Le, Viviane Beaulieu
* **Budget, Le,** En collaboration

* **100 métiers et professions,** Guy Milot
* **Collectionner les timbres,** Yves Taschereau
* **Comment acheter et vendre sa maison,** Lucile Brisebois
* **Comment aménager une salle de séjour**
* **Comment tirer le maximum d'une mini-calculatrice,** Henry Mullish
* **Comment amuser nos enfants,** Louis Stanké
* **Conseils aux inventeurs,** Raymond-A. Robic
* **Construire sa maison en bois rustique,** D. Mann et R. Skinulis
* **Crochet jacquard, Le,** Brigitte Thérien
* **Cuir, Le,** L. Saint-Hilaire, W. Vogt

PHOTOGRAPHIE — CINÉMA

8/super 8/16, André Lafrance
Apprenez la photographie avec Antoine Desilets, Antoine Desilets
Apprendre la photo de sport, Denis Brodeur
* Chaînes stéréophoniques, Les, Gilles Poirier
* Chasse photographique, La, Louis-Philippe Coiteux
Ciné-guide, André Lafrance
Découvrez le monde merveilleux de la photographie, Antoine Desilets
Je développe mes photos, Antoine Desilets
Je prends des photos, Antoine Desilets
Photo à la portée de tous, La, Antoine Desilets
Photo de A à Z, La, Desilets, Coiteux, Gariépy
Photo-guide, Antoine Desilets
Photo reportage, Alain Renaud
Technique de la photo, La, Antoine Desilets
Vidéo et super-8, André A. Lafrance et Serge Shanks

PLANTES — JARDINAGE *

Arbres, haies et arbustes, Paul Pouliot
Culture des fleurs, des fruits et des légumes, La
Dessiner et aménager son terrain
Guide complet du jardinage, Le, Charles L. Wilson
Jardinage, Le, Paul Pouliot
Jardin potager, Le — La p'tite ferme, Jean-Claude Trait
Je décore avec des fleurs, Mimi Bassili
Plantes d'intérieur, Les, Paul Pouliot
Techniques du jardinage, Les, Paul Pouliot
Terrariums, Les, Ken Kayatta et Steven Schmidt
Votre pelouse, Paul Pouliot

PSYCHOLOGIE — ÉDUCATION

* Âge démasqué, L', Hubert de Ravinel
Aider son enfant en maternelle et en 1ère année, Louise Pedneault-Pontbriand
Aidez votre enfant à lire et à écrire, Louise Doyon-Richard
Amour de l'exigence à la préférence, L', Lucien Auger
* Caractères et tempéraments, Claude-Gérard Sarrazin
* Caractères par l'interprétation des visages, Les, Louis Stanké
Comment animer un groupe, Collaboration
Comment déborder d'énergie, Jean-Paul Simard
* Comment vaincre la gêne et la timidité, René-Salvator Catta
Communication dans le couple, La, Luc Granger
Communication et épanouissement personnel, Lucien Auger
* Complexes et psychanalyse, Pierre Valinieff
Contact, Léonard et Nathalie Zunin
* Cours de psychologie populaire, Fernand Cantin
Découvrez votre enfant par ses jeux, Didier Calvet
* Dépression nerveuse, La, En collaboration
Développement psychomoteur du bébé, Le, Didier Calvet
* Développez votre personnalité, vous réussirez, Sylvain Brind'Amour
Douze premiers mois de mon enfant, Les, Frank Caplan
* Dynamique des groupes, J.-M. Aubry, Y. Saint-Arnaud
Être soi-même, Dorothy Corkille Briggs
Facteur chance, Le, Max Gunther
* Femme après 30 ans, La, Nicole Germain

SEXOLOGIE

SPORTS